			예비 초등			1-2학년				3-4학년				5-6학년				예비 중등	
			P1	P2	P3	1A	1B	2A	2B	3A	3B	4A	4B	5A	5B	6A	6B	7A	7B
쓰기력	국어	한글 바로 쓰기	P1	P2	P3														
			P1~3_활동 모음집																
	국어	맞춤법 바로 쓰기				1A	1B												
어휘력	전 과목	어휘									3B	4A	4B	5A	5B	6A	6B		
	전 과목	한자 어휘							2B	3A	3B	4A	4B	5A	5B	6A	6B		
	영어	파닉스			1		2												
	영어	영단어								3A	3B	4A	4B	5A	5B	6A	6B		
독해력	국어	독해	P1		P2	1A	1B	2A	2B	3A	3B	4A	4B	5A	5B	6A	6B		
	한국사	독해 인물편								1		2		3		4			
	한국사	독해 시대편								1		2		3		4			
계산력	수학	계산				1A	1B	2A	2B	3A	3B	4A	4B	5A	5B	6A	6B	7A	7B
교과서 문해력	전 과목	교과서가 술술 읽히는 서술어				1A	1B	2A	2B	3A	3B	4A	4B	5A	5B	6A	6B		
	사회	교과서 독해								3A	3B	4A	4B	5A	5B	6A	6B		
	과학	교과서 독해								3A	3B	4A	4B	5A	5B	6A	6B		
	수학	문장제 기본				1A	1B	2A	2B	3A	3B	4A	4B	5A	5B	6A	6B		
	수학	문장제 발전				1A	1B	2A	2B	3A	3B	4A	4B	5A	5B	6A	6B		
창의·사고력	전 과목	교과서 놀이 활동북	1　2　3　4 (예비 초등 ~ 초등 2학년)																

* 완자 공부력 신간은 계속해서 출간됩니다.

세상이 변해도
배움의 즐거움은
변함없도록

시대는 빠르게 변해도
배움의 즐거움은
변함없어야 하기에

어제의 비상은
남다른 교재부터
결이 다른 콘텐츠
전에 없던 교육 플랫폼까지

변함없는 혁신으로
교육 문화 환경의 새로운 전형을
실현해왔습니다.

비상은 오늘, 다시 한번
새로운 교육 문화 환경을 실현하기 위한
또 하나의 혁신을 시작합니다.

오늘의 내가 어제의 나를 초월하고
오늘의 교육이 어제의 교육을 초월하여
배움의 즐거움을 지속하는 혁신,

바로, 메타인지 기반 완전 학습을.

상상을 실현하는 교육 문화 기업 비상

메타인지 기반 완전 학습
초월을 뜻하는 meta와 생각을 뜻하는 인지가 결합한 메타인지는
자신이 알고 모르는 것을 스스로 구분하고 학습계획을 세우도록 하는
궁극의 학습 능력입니다. 비상의 메타인지 기반 완전 학습 시스템은
잠들어 있는 메타인지를 깨워 공부를 100% 내 것으로 만들도록 합니다.

초대장

당신을 동물들의 숲속 파티에 초대합니다.
준비물은 단 하나, 직접 만든 음식!
단, 주어진 문제를 모두 풀어야만 파티에 참석할 수 있어요!

그럼 지금부터 문제를 차근차근 풀면서
파티 준비를 해 볼까요?

수학 문장제 발전 단계별 구성

1A	1B	2A	2B	3A	3B
9까지의 수	100까지의 수	세 자리 수	네 자리 수	덧셈과 뺄셈	곱셈
여러 가지 모양	덧셈과 뺄셈(1)	여러 가지 도형	곱셈구구	평면도형	나눗셈
덧셈과 뺄셈	모양과 시각	덧셈과 뺄셈	길이 재기	나눗셈	원
비교하기	덧셈과 뺄셈(2)	길이 재기	시각과 시간	곱셈	분수
50까지의 수	규칙 찾기	분류하기	표와 그래프	길이와 시간	들이와 무게
	덧셈과 뺄셈(3)	곱셈	규칙 찾기	분수와 소수	자료의 정리

교과서 전 단원, 전 영역 뿐만 아니라 다양한 시험에 나오는
복잡한 수학 문장제를 분석하고 단계별 풀이를 통해
문제 해결력을 강화해요!

수, 연산, 도형과 측정, 자료와 가능성, 변화와 관계 영역의
다양한 문장제를 해결해 봐요.

4A	4B	5A	5B	6A	6B
큰 수	분수의 덧셈과 뺄셈	자연수의 혼합 계산	수의 범위와 어림하기	분수의 나눗셈	분수의 나눗셈
각도	삼각형	약수와 배수	분수의 곱셈	각기둥과 각뿔	소수의 나눗셈
곱셈과 나눗셈	소수의 덧셈과 뺄셈	규칙과 대응	합동과 대칭	소수의 나눗셈	공간과 입체
평면도형의 이동	사각형	약분과 통분	소수의 곱셈	비와 비율	비례식과 비례배분
막대 그래프	꺾은선 그래프	분수의 덧셈과 뺄셈	직육면체	여러 가지 그래프	원의 둘레와 넓이
규칙 찾기	다각형	다각형의 둘레와 넓이	평균과 가능성	직육면체의 부피와 겉넓이	원기둥, 원뿔, 구

특징과 활용법

준비하기
단원별 2쪽 가볍게 몸풀기

그림 속 이야기를 읽어 보면서
간단한 문장으로 된
문제를 풀어 보아요.

일차 학습
하루 6쪽 문장제 학습

문제 속 조건과 구하려는 것을
찾고, 단계별 풀이를 통해
문제 해결력이 쑥쑥~

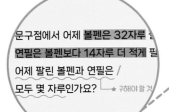

문구점에서 어제 볼펜은 32자루 팔
연필은 볼펜보다 14자루 더 적게 팔
어제 팔린 볼펜과 연필은 /
모두 몇 자루인가요? ★구해야 할 것

실력 확인하기

단원별 마무리와 총정리 실력 평가

• 단원 마무리 •

• 실력 평가 •

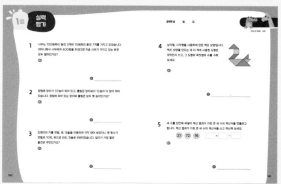

앞에서 배웠던 문장제를 풀면서
실력을 확인해요.
마지막 도전 문제까지 성공하면
최고!

한 권을 모두 끝낸 후엔
실력 평가로 내 실력을
점검해요!

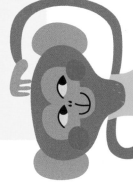

정답과 해설

정답과 해설을 빠르게 확인하고,
틀린 문제는 다시 풀어요!
QR을 찍으면 모바일로도
정답을 확인할 수 있어요.

차례

1 세 자리 수

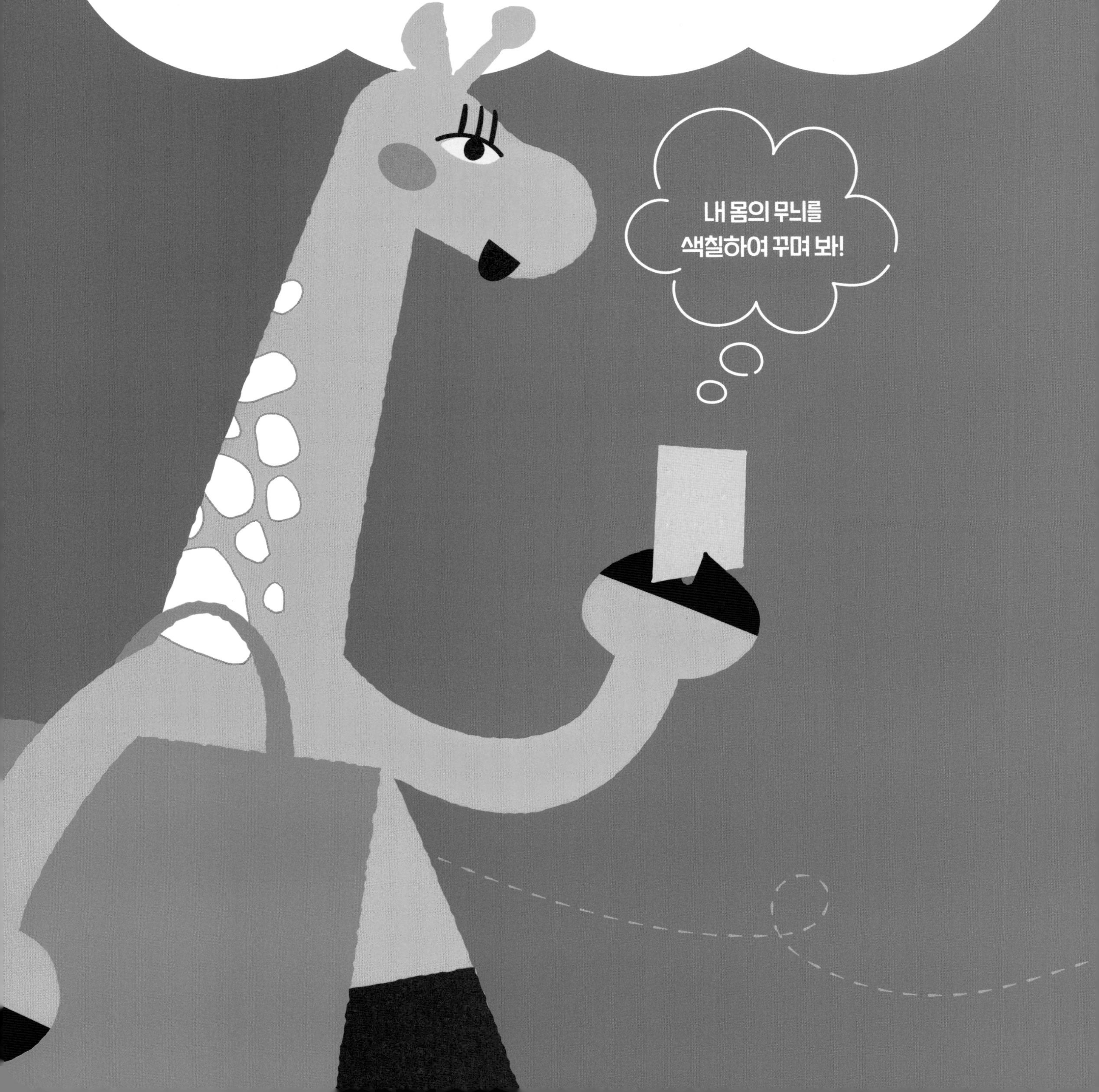

1일

· 모두 얼마인지 구하기
· 나타낼 수 있는 세 자리 수 구하기

2일

· 조건에 알맞은 수 구하기
· 가격에 맞게 동전을 낼 수
  있는 방법의 수 구하기

3일

단원 마무리

문장제 준비하기

함께 이야기해요!
요리를 만들며 빈칸에 알맞은 수나 말을 써 보세요.

100개

Chocolate
10개

Chocolate
10개

초콜릿은 100개씩 1봉지,
10개씩 2봉지니까

모두 [   ]개야!

블루베리 머핀을 100개, 초콜릿 머핀을
120개 만들었어. 100 < 120이니까

[   ] 머핀보다

[   ] 머핀을 더 많이 만들었어.

* RECIPE *
머핀 만들기
준비물
달걀 4개, 체리 2개
버터 2개, 초콜릿 5개

정답과 해설 2쪽

10개　　10봉지

블루베리가 10개씩 10봉지니까

모두 ☐ 개야!

1

민지는 **100원짜리 동전 2개와** /

10원짜리 동전 6개를 가지고 있었습니다. /

어머니께서 **민지에게 700원을 주셨다면** /

지금 민지가 가지고 있는 돈은 /

모두 얼마인가요? ⟶ ★ 구해야 할 것

700원

문제 돋보기

✔ 민지가 가지고 있던 동전의 수는?

→ 100원짜리 동전 ☐ 개와 10원짜리 동전 ☐ 개

✔ 어머니께서 민지에게 주신 돈은?

→ ☐ 원

★ 구해야 할 것은?

→ _____ 지금 민지가 가지고 있는 돈 _____

풀이 과정

❶ 어머니께서 주신 돈은 100원짜리 동전으로 몇 개?

700원은 100원짜리 동전으로 ☐ 개입니다.

❷ 지금 민지가 가지고 있는 돈은 모두 얼마?

100원짜리 동전이 2 + ☐ = ☐ (개)이고, 10원짜리 동전이

☐ 개이므로 지금 민지가 가지고 있는 돈은 모두 ☐ 원입니다.

답 _____

정답과 해설 2쪽

💡 왼쪽 ❶번과 같이 문제에 색칠하고 밑줄을 그어 가며 문제를 풀어 보세요.

1-1 형준이는 100원짜리 동전 8개와 / 10원짜리 동전 5개를 가지고 있었습니다. / 형준이가 동생에게 300원을 주었다면 / 지금 형준이가 가지고 있는 돈은 / 모두 얼마인가요?

문제 돋보기

✔ 형준이가 가지고 있던 동전의 수는?

→ 100원짜리 동전 ☐ 개와 10원짜리 동전 ☐ 개

✔ 형준이가 동생에게 준 돈은?

→ ☐ 원

★ 구해야 할 것은?

→ _____

풀이 과정

❶ 동생에게 준 돈은 100원짜리 동전으로 몇 개?

300원은 100원짜리 동전으로 ☐ 개입니다.

❷ 지금 형준이가 가지고 있는 돈은 모두 얼마?

100원짜리 동전이 8− ☐ = ☐ (개)이고,

10원짜리 동전이 ☐ 개이므로 지금 형준이가

가지고 있는 돈은 모두 ☐ 원입니다.

문제가 어려웠나요?

☐ 어려워요!

☐ 적당해요 ^-^

☐ 쉬워요 >o<

답 _____

2 백 모형 2개, 십 모형 1개, 일 모형 1개가 있습니다. /
수 모형 4개 중에서 **3개를 사용하여** /
나타낼 수 있는 세 자리 수는 /
모두 몇 개인가요? ⌇ ★ 구해야 할 것

문제 돋보기

★ 구해야 할 것은?

→   수 모형 3개를 사용하여 나타낼 수 있는 세 자리 수의 개수

✔ 수 모형은? → 백 모형 ☐ 개, 십 모형 ☐ 개, 일 모형 ☐ 개

✔ 백 모형, 십 모형, 일 모형 중 반드시 포함해야 하는 수 모형은?

→ 세 자리 수를 나타내야 하므로 수 모형 중 (백 , 십 , 일) 모형을
반드시 포함해야 합니다.   알맞은 말에 ○표 하기 ⌐

풀이 과정

❶ 수 모형 3개를 사용하여 나타낼 수 있는 세 자리 수를 모두 구하면?

백 모형	십 모형	일 모형		세 자리 수
2개	1개	0개	⇨	210
			⇨	
			⇨	

❷ 나타낼 수 있는 세 자리 수는 모두 몇 개?

나타낼 수 있는 세 자리 수는 모두 ☐ 개입니다.

답 _____

정답과 해설 3쪽

 왼쪽 ❷번과 같이 문제에 색칠하고 밑줄을 그어 가며 문제를 풀어 보세요.

2-1

백 모형 1개, 십 모형 2개, 일 모형 2개가 있습니다. / 수 모형 5개 중에서 3개를 사용하여 / 나타낼 수 있는 세 자리 수는 / 모두 몇 개인가요?

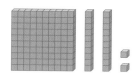

문제 돋보기

★ 구해야 할 것은?

→ _____

✔ 수 모형은? → 백 모형 ☐ 개, 십 모형 ☐ 개, 일 모형 ☐ 개

✔ 백 모형, 십 모형, 일 모형 중 반드시 포함해야 하는 모형은?

→ 세 자리 수를 나타내야 하므로 수 모형 중 (백 , 십 , 일) 모형을 반드시 포함해야 합니다.

풀이 과정

❶ 수 모형 3개를 사용하여 나타낼 수 있는 세 자리 수를 모두 구하면?

백 모형	십 모형	일 모형		세 자리 수
			⇨	
			⇨	
			⇨	

❷ 나타낼 수 있는 세 자리 수는 모두 몇 개?

나타낼 수 있는 세 자리 수는 모두 ☐ 개입니다.

문제가 어려웠나요?

☐ 어려워요!

☐ 적당해요 ^-^

☐ 쉬워요 >o<

답 _____

 문제를 읽고 '연습하기'에서 했던 것처럼 밑줄을 그어 가며 문제를 풀어 보세요.

1 유진이는 100원짜리 동전 3개와 10원짜리 동전 2개를 가지고 있었습니다. 아버지께서 유진이에게 500원을 주셨다면 지금 유진이가 가지고 있는 돈은 모두 얼마인가요?

❶ 아버지께서 주신 돈은 100원짜리 동전으로 몇 개?

❷ 지금 유진이가 가지고 있는 돈은 모두 얼마?

답 _____

2 진수는 100원짜리 동전 6개와 10원짜리 동전 9개를 가지고 있었습니다. 진수가 동생에게 400원을 주었다면 지금 진수가 가지고 있는 돈은 모두 얼마인가요?

❶ 동생에게 준 돈은 100원짜리 동전으로 몇 개?

❷ 지금 진수가 가지고 있는 돈은 모두 얼마?

답 _____

3 백 모형 1개, 십 모형 3개, 일 모형 4개가 있습니다. 수 모형 8개 중에서 3개를 사용하여 나타낼 수 있는 세 자리 수는 모두 몇 개인가요?

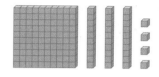

❶ 수 모형 3개를 사용하여 나타낼 수 있는 세 자리 수를 모두 구하면?

❷ 나타낼 수 있는 세 자리 수는 모두 몇 개?

답 _____

4 100원짜리 동전 1개, 10원짜리 동전 5개, 1원짜리 동전 2개가 있습니다. 동전 8개 중에서 4개를 사용하여 나타낼 수 있는 세 자리 수는 모두 몇 개인가요?

❶ 동전 4개를 사용하여 나타낼 수 있는 세 자리 수를 모두 구하면?

❷ 나타낼 수 있는 세 자리 수는 모두 몇 개?

답 _____

1

세명이가 타는 버스의 번호는 /

백의 자리 숫자가 2보다 크고 /

4보다 작은 세 자리 수입니다. /

십의 자리 숫자는 50을 나타내고, /

일의 자리 숫자와 백의 자리 숫자의 합이 5일 때, /

세명이가 타는 버스의 번호는 몇 번인가요?

└─ ★ 구해야 할 것

문제 돋보기

✓ 백의 자리 숫자는? → ☐ 보다 크고 ☐ 보다 작은 수

✓ 십의 자리 숫자가 나타내는 수는? → ☐

✓ 일의 자리 숫자와 백의 자리 숫자의 합은? → ☐

★ 구해야 할 것은?

→ _____세명이가 타는 버스의 번호_____

풀이 과정

❶ 백, 십, 일의 자리 숫자를 각각 구하면?

백의 자리 숫자는 ☐ , 십의 자리 숫자는 ☐ 입니다.

(일의 자리 숫자) + ☐ = 5이므로 일의 자리 숫자는 ☐ 입니다.

└→ 백의 자리 숫자

❷ 세명이가 타는 버스의 번호는?

세명이가 타는 버스의 번호는 ☐ 번입니다.

답 _____

정답과 해설 4쪽

공부한 날   월   일

💡 왼쪽 **1**번과 같이 문제에 색칠하고 밑줄을 그어 가며 문제를 풀어 보세요.

1-1 영진이는 줄넘기를 했습니다. / 영진이가 한 줄넘기 횟수는 268보다 크고 / 280보다 작은 수 중에서 / 십의 자리 숫자와 일의 자리 숫자가 같은 수입니다. / 영진이가 한 줄넘기 횟수는 몇 번인가요?

문제 돋보기

✔ 영진이가 한 줄넘기 횟수는?

→ ◻◻◻ 보다 크고 ◻◻◻ 보다 작은 수

✔ 십의 자리 숫자와 일의 자리 숫자는?

→ 십의 자리 숫자와 일의 자리 숫자가 (같습니다 , 다릅니다).

★ 구해야 할 것은?

→ _____

풀이 과정

❶ 백, 십, 일의 자리 숫자를 각각 구하면?

◻◻◻ 보다 크고 ◻◻◻ 보다 작은 수이므로

백의 자리 숫자는 ◻ 입니다.

십의 자리 숫자와 일의 자리 숫자가 같으므로

십의 자리 숫자는 ◻ , 일의 자리 숫자는 ◻ 입니다.

❷ 영진이가 한 줄넘기 횟수는?

영진이가 한 줄넘기 횟수는 ◻◻◻ 번입니다.

답 _____

문제가 어려웠나요?

☐ 어려워요!

☐ 적당해요 ^_^

☐ 쉬워요 >o<

19

문장제 연습하기

가격에 맞게 동전을 낼 수 있는 방법의 수 구하기

2

현주는 280원짜리 연필을 한 자루 사려고 합니다. /

연필 값에 꼭 맞게 /

100원, 50원, 10원짜리 동전을 /

적어도 1개씩 포함하여 /

낼 수 있는 방법은 모두 몇 가지인가요?

└─ ★ 구해야 할 것

문제 돋보기

✔ 100원, 50원, 10원짜리 동전을 모아서 내야 하는 금액은?

→ ☐ 원

★ 구해야 할 것은?

→ _____ 연필 값을 낼 수 있는 방법의 수

풀이 과정

❶ 100원, 50원, 10원짜리 동전을 적어도 1개씩 포함하여 280원을 만들 수 있는 방법을 모두 찾으면?

	방법1	방법2	방법3	방법4
100원	2개			
50원	1개			
10원	3개			

❷ 연필 값을 낼 수 있는 방법의 수는?

연필 값을 낼 수 있는 방법은 모두 ☐ 가지입니다.

탑 _____

정답과 해설 4쪽

 왼쪽 ❷번과 같이 문제에 색칠하고 밑줄을 그어 가며 문제를 풀어 보세요.

2-1

세훈이는 950원짜리 과자를 한 봉지 사려고 합니다. / 과자 값에 꼭 맞게 / 500원, 100원, 50원짜리 동전을 / 적어도 1개씩 포함하여 / 낼 수 있는 방법은 모두 몇 가지인가요?

문제 돋보기

✔ 500원, 100원, 50원짜리 동전을 모아서 내야 하는 금액은?

→ ☐ 원

★ 구해야 할 것은?

→ _____

풀이 과정

❶ 500원, 100원, 50원짜리 동전을 적어도 1개씩 포함하여 950원을 만들 수 있는 방법을 모두 찾으면?

	방법1	방법2	방법3	방법4
500원				
100원				
50원				

❷ 과자 값을 낼 수 있는 방법의 수는?

과자 값을 낼 수 있는 방법은 모두 ☐ 가지입니다.

문제가 어려웠나요?

☐ 어려워요!

☐ 적당해요 ^-^

☐ 쉬워요 >ㅇ<

 답 _____

 문제를 읽고 '연습하기'에서 했던 것처럼 밑줄을 그어 가며 문제를 풀어 보세요.

1 어떤 수는 백의 자리 숫자가 3보다 크고 5보다 작은 세 자리 수입니다.
십의 자리 숫자는 60을 나타내고, 일의 자리 숫자와 십의 자리 숫자의 합이 9일 때,
어떤 수를 구해 보세요.

❶ 백, 십, 일의 자리 숫자를 각각 구하면?

❷ 어떤 수는?

답 _____

2 준석이는 750원짜리 아이스크림을 한 개 사려고 합니다. 아이스크림 값에 꼭 맞게
500원, 100원, 50원짜리 동전을 적어도 1개씩 포함하여 낼 수 있는 방법은 모두
몇 가지인가요?

❶ 500원, 100원, 50원짜리 동전을 적어도 1개씩 포함하여 750원을 만들 수
있는 방법을 모두 찾으면?

❷ 아이스크림 값을 낼 수 있는 방법의 수는?

답 _____

정답과 해설 5쪽

3 은정이는 300원짜리 사탕을 한 개 사려고 합니다. 사탕 값에 꼭 맞게 100원, 50원, 10원짜리 동전을 적어도 1개씩 포함하여 낼 수 있는 방법은 모두 몇 가지인가요?

❶ 100원, 50원, 10원짜리 동전을 적어도 1개씩 포함하여 300원을 만들 수 있는 방법을 모두 찾으면?

❷ 사탕 값을 낼 수 있는 방법의 수는?

답 _____

4 나에 대한 설명을 읽고 나는 어떤 수인지 구해 보세요.

> • 나는 720보다 크고 740보다 작은 세 자리 수입니다.
> • 나는 십의 자리 숫자와 일의 자리 숫자가 같습니다.
> • 백의 자리 숫자와 일의 자리 숫자의 합은 9입니다.

❶ 백, 십, 일의 자리 숫자를 각각 구하면?

❷ 나는 어떤 수인지 구하면?

답 _____

12쪽 모두 얼마인지 구하기

1 선재는 100원짜리 동전 5개와 10원짜리 동전 1개를 가지고 있었습니다.
인수가 선재에게 200원을 주었다면 지금 선재가 가지고 있는 돈은 모두
얼마인가요?

풀이

답 _____

14쪽 나타낼 수 있는 세 자리 수 구하기

2 백 모형 1개, 십 모형 4개, 일 모형 2개가
있습니다. 수 모형 7개 중에서 3개를 사용하여
나타낼 수 있는 세 자리 수를 모두 써 보세요.

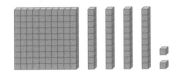

풀이

답 _____

18쪽 조건에 알맞은 수 구하기

3 어떤 수는 백의 자리 숫자가 1보다 크고 3보다 작은 세 자리 수입니다.
십의 자리 숫자는 40을 나타내고, 일의 자리 숫자와 백의 자리 숫자의
합이 3일 때, 어떤 수를 구해 보세요.

풀이

답 _____

정답과 해설 5쪽

14쪽 나타낼 수 있는 세 자리 수 구하기

4 100원짜리 동전 3개, 10원짜리 동전 1개, 1원짜리 동전 2개가 있습니다. 동전 6개 중에서 4개를 사용하여 나타낼 수 있는 세 자리 수는 모두 몇 개인가요?

풀이

답 _____

18쪽 조건에 알맞은 수 구하기

5 영희가 모은 구슬의 수는 580보다 크고 599보다 작은 수 중에서 십의 자리 숫자와 일의 자리 숫자가 같은 수입니다. 영희가 모은 구슬은 몇 개인가요?

풀이

답 _____

6

20쪽   가격에 맞게 동전을 낼 수 있는 방법의 수 구하기

미주는 270원짜리 머리끈을 한 개 사려고 합니다. 머리끈 값에 꼭 맞게
100원, 50원, 10원짜리 동전을 적어도 1개씩 포함하여 낼 수 있는
방법은 모두 몇 가지인가요?

풀이

답 _____

7

20쪽   가격에 맞게 동전을 낼 수 있는 방법의 수 구하기

영진이는 900원짜리 볼펜을 한 자루 사려고 합니다. 볼펜 값에 꼭 맞게
500원, 100원, 50원짜리 동전을 적어도 1개씩 포함하여 낼 수 있는
방법은 모두 몇 가지인가요?

풀이

답 _____

8

18쪽   조건에 알맞은 수 구하기

두 사람이 말하는 조건을 모두 만족하는 수를 구해 보세요.

925보다 크고
940보다 작은
세 자리 수야.

십의 자리 숫자와
일의 자리 숫자의
합은 3이야.

풀이

답 _____

20쪽 가격에 맞게 동전을 낼 수 있는 방법의 수 구하기

9 민혜는 500원짜리 풀을 한 개 사려고 합니다. 풀 값에 꼭 맞게 100원짜리 동전과 50원짜리 동전으로 낼 수 있는 방법은 모두 몇 가지인가요?

풀이

답 _____

14쪽 나타낼 수 있는 세 자리 수 구하기

도전문제 **10** 백 모형 2개, 십 모형 3개, 일 모형 1개가 있습니다. 수 모형 6개 중에서 4개를 사용하여 세 자리 수를 나타내려고 합니다. 둘째로 큰 수를 구해 보세요.

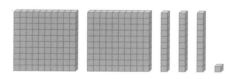

❶ 수 모형 4개를 사용하여 나타낼 수 있는 세 자리 수를 모두 구하면?

❷ 나타낼 수 있는 세 자리 수 중에서 둘째로 큰 수는?

답 _____

2 여러 가지 도형

내 배를 색칠하여
재미있게 꾸며 봐!

4일

· 쌓기나무의 수 비교하기
· 남은 쌓기나무의 수 구하기

5일

· 사용한 도형의 구성 요소의
수 계산하기
· 크고 작은 도형의 수 구하기

6일

단원 마무리

함께 이야기해요!

요리를 만들며 빈칸에 알맞은 수나 말을 써 보세요.

햄버거의 빵과 토마토는 모두 **모양이야!**

* RECIPE *
햄버거 만들기

준비물
빵 2개, 치즈 1장
햄 1개, 상추 2장
토마토 2개

치즈는 꼭짓점이 ☐ 개,

변이 ☐ 개야!

치즈는 빵과 모양이 달라.

☐ 모양이야!

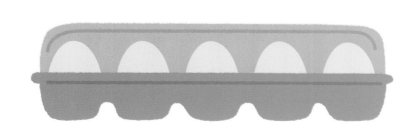

1 시우와 사빈이가 쌓기나무로 /

오른쪽과 같은 모양을 만들었습니다. /

쌓기나무를 더 많이 사용한 사람은 누구인가요?

└─➤ ★ 구해야 할 것

시우

사빈

문제 돋보기

✔ 시우가 사용한 쌓기나무의 수는?

→ 1층: ☐ 개, 2층: ☐ 개, 3층: ☐ 개

✔ 사빈이가 사용한 쌓기나무의 수는?

→ 1층: ☐ 개, 2층: ☐ 개

★ 구해야 할 것은?

→ _____

쌓기나무를 더 많이 사용한 사람

풀이 과정

❶ 시우와 사빈이가 각각 사용한 쌓기나무의 수는?

　　　1층　　2층　　3층

시우: ☐ + ☐ + ☐ = ☐ (개)

사빈: ☐ + ☐ = ☐ (개)

❷ 쌓기나무를 더 많이 사용한 사람은?

☐ ◯ ☐ 이므로 더 많이 사용한 사람은 ☐ 입니다.

　시우　　　사빈

└─➤ >, =, < 중 알맞은 것 쓰기

답 _____

정답과 해설 7쪽

왼쪽 ❶번과 같이 문제에 색칠하고 밑줄을 그어 가며 문제를 풀어 보세요.

1-1 채린이와 주아가 쌓기나무로 / 오른쪽과 같은
모양을 만들었습니다. / 쌓기나무를 더 적게
사용한 사람은 누구인가요?

채린 　주아

문제 돋보기

✔ 채린이가 사용한 쌓기나무의 수는?

→ 1층: ☐ 개, 2층: ☐ 개

✔ 주아가 사용한 쌓기나무의 수는?

→ 1층: ☐ 개, 2층: ☐ 개

★ 구해야 할 것은?

→ _____

풀이 과정

❶ 채린이와 주아가 각각 사용한 쌓기나무의 수는?

　　　1층　　2층

채린: ☐ + ☐ = ☐ (개)

주아: ☐ + ☐ = ☐ (개)

❷ 쌓기나무를 더 적게 사용한 사람은?

☐ ◯ ☐ 이므로 더 적게 사용한 사람은 ☐ 입니다.
채린　　　주아

답 _____

문제가 어려웠나요?

☐ 어려워요!

☐ 적당해요 ^_^

☐ 쉬워요 >○<

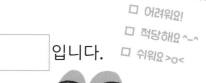

2 쌓기나무로 오른쪽과 같은 모양을 만들었습니다. /
쌓기나무가 10개 있었다면 /
모양을 만들고 남은 쌓기나무는 몇 개인가요?

└─★ 구해야 할 것

 문제 돋보기

✔ 사용한 쌓기나무의 수는?

→ 1층: ☐ 개, 2층: ☐ 개

✔ 처음에 있던 쌓기나무의 수는?

→ ☐ 개

★ 구해야 할 것은?

→ 　　　　　모양을 만들고 남은 쌓기나무의 수
　　　──────────────────────────────

 풀이 과정

❶ 사용한 쌓기나무의 수는?

1층에 ☐ 개, 2층에 ☐ 개이므로

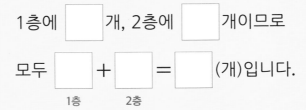
모두 ☐ + ☐ = ☐ (개)입니다.
　　　1층　　2층

❷ 모양을 만들고 남은 쌓기나무의 수는?

☐ ◯ ☐ = ☐ (개)
　　└─ +, − 중 알맞은 것 쓰기

답 _____

34

정답과 해설 8쪽

 왼쪽 ❷번과 같이 문제에 색칠하고 밑줄을 그어 가며 문제를 풀어 보세요.

2-1 쌓기나무로 오른쪽과 같은 모양을 만들었습니다. /

쌓기나무가 9개 있었다면 /

모양을 만들고 남은 쌓기나무는 몇 개인가요?

문제 돋보기

✔ 사용한 쌓기나무의 수는?

→ 1층: ☐ 개, 2층: ☐ 개

✔ 처음에 있던 쌓기나무의 수는?

→ ☐ 개

★ 구해야 할 것은?

→ _____

풀이 과정

❶ 사용한 쌓기나무의 수는?

1층에 ☐ 개, 2층에 ☐ 개이므로

모두 ☐ + ☐ = ☐ (개)입니다.

❷ 모양을 만들고 남은 쌓기나무의 수는?

☐ ◯ ☐ = ☐ (개)

문제가 어려웠나요?

☐ 어려워요!

☐ 적당해요 ^_^

☐ 쉬워요 >o<

답 _____

 문제를 읽고 '연습하기'에서 했던 것처럼 밑줄을 그어 가며 문제를 풀어 보세요.

1 다빈이와 한별이가 쌓기나무로 오른쪽과 같은
모양을 만들었습니다. 쌓기나무를 더 많이 사용한
사람은 누구인가요?

다빈   한별

❶ 다빈이와 한별이가 각각 사용한 쌓기나무의 수는?

❷ 쌓기나무를 더 많이 사용한 사람은?

답 _____

2 쌓기나무로 오른쪽과 같은 모양을 만들었습니다. 쌓기나무가 8개
있었다면 모양을 만들고 남은 쌓기나무는 몇 개인가요?

❶ 사용한 쌓기나무의 수는?

❷ 모양을 만들고 남은 쌓기나무의 수는?

답 _____

정답과 해설 8쪽

3 가와 나 중 쌓기나무를 더 적게 사용한 것은 어느 것인가요?

가  나

❶ 가와 나를 만드는 데 각각 사용한 쌓기나무의 수는?

❷ 쌓기나무를 더 적게 사용한 것은?

답 _____

4 쌓기나무로 오른쪽과 같은 모양을 2개 만들었습니다. 쌓기나무가 15개 있었다면 모양을 2개 만들고 남은 쌓기나무는 몇 개인가요?

❶ 모양을 1개 만드는 데 사용한 쌓기나무의 수는?

❷ 모양을 2개 만드는 데 사용한 쌓기나무의 수는?

❸ 모양을 2개 만들고 남은 쌓기나무의 수는?

답 _____

1

삼각형, 사각형, 원을 사용하여 만든 /

나비와 꽃 모양입니다. /

나비와 꽃 모양을 만드는 데 /

가장 많이 사용한 도형과 /

가장 적게 사용한 도형의 / 변의 수의 합을 구해 보세요.

└─★ 구해야 할 것

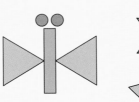
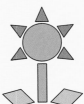

문제 돋보기

✓ 삼각형, 사각형, 원의 변의 수는?

→ 삼각형: ☐ 개, 사각형: ☐ 개, 원: ☐ 개

★ 구해야 할 것은?

→ 가장 많이 사용한 도형과 가장 적게 사용한 도형의 변의 수의 합

풀이 과정

❶ 나비와 꽃 모양을 만드는 데 사용한 도형의 수는?

삼각형은 ☐ 개, 사각형은 ☐ 개, 원은 ☐ 개 사용했습니다.

❷ 가장 많이 사용한 도형과 가장 적게 사용한 도형은?

• 가장 많이 사용한 도형: ☐

• 가장 적게 사용한 도형: ☐

❸ 가장 많이 사용한 도형과 가장 적게 사용한 도형의 변의 수의 합은?

☐ + ☐ = ☐ (개)

가장 많이 사용한 •┘   └• 가장 적게 사용한
도형의 변의 수   도형의 변의 수

답 _____

정답과 해설 9쪽

 왼쪽 **1**번과 같이 문제에 색칠하고 밑줄을 그어 가며 문제를 풀어 보세요.

1-1 삼각형, 사각형, 원을 사용하여 만든 / 집 모양 2개입니다. / 집 모양 2개를 만드는 데 / 가장 많이 사용한 도형과 / 가장 적게 사용한 도형의 / 꼭짓점의 수의 차를 구해 보세요.

문제 돋보기

✔ 삼각형, 사각형, 원의 꼭짓점의 수는?

→ 삼각형: ☐ 개, 사각형: ☐ 개, 원: ☐ 개

★ 구해야 할 것은?

→ _____

풀이 과정

❶ 집 모양 2개를 만드는 데 사용한 도형의 수는?

삼각형은 ☐ 개, 사각형은 ☐ 개, 원은 ☐ 개 사용했습니다.

❷ 가장 많이 사용한 도형과 가장 적게 사용한 도형은?

• 가장 많이 사용한 도형: ☐

• 가장 적게 사용한 도형: ☐

❸ 가장 많이 사용한 도형과 가장 적게 사용한 도형의 꼭짓점의 수의 차는?

☐ − ☐ = ☐ (개)

문제가 어려웠나요?
☐ 어려워요!
☐ 적당해요 ^-^
☐ 쉬워요 >0<

❸ 답 _____

크고 작은 도형의 수 구하기

2 오른쪽 도형에서 찾을 수 있는 /
크고 작은 **사각형**은 모두 몇 개인가요?
└─ ★ 구해야 할 것

①	②	③

문제 돋보기

✔ 사각형은 어떤 도형?

→ 곧은 선 ☐ 개로 둘러싸인 도형

★ 구해야 할 것은?

→ _____ 크고 작은 사각형의 수 _____

풀이 과정

❶ 작은 사각형 1개, 2개, 3개로 이루어진 사각형의 수는?

작은 사각형 1개짜리: ①, ②, ③ ⇨ ☐ 개

작은 사각형 2개짜리: ①+②, ②+③ ⇨ ☐ 개

작은 사각형 3개짜리: ①+②+③ ⇨ ☐ 개

❷ 크고 작은 사각형은 모두 몇 개?

$$☐ + ☐ + ☐ = ☐ \ (개)$$

작은 사각형 1개짜리 ┘   └ 작은 사각형 3개짜리
              └ 작은 사각형 2개짜리

답 _____

왼쪽 **❷**번과 같이 문제에 색칠하고 밑줄을 그어 가며 문제를 풀어 보세요.

2-1

오른쪽 도형에서 찾을 수 있는 / 크고 작은 삼각형은 모두 몇 개인가요?

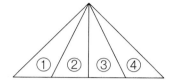

문제 돋보기

✔ 삼각형은 어떤 도형?

→ 곧은 선 ☐ 개로 둘러싸인 도형

★ 구해야 할 것은?

→ _____

풀이 과정

❶ 작은 삼각형 1개, 2개, 3개, 4개로 이루어진 삼각형의 수는?

작은 삼각형 1개짜리: ①, ②, ③, ④ ⇨ ☐ 개

작은 삼각형 2개짜리: ①+②, ②+③, ③+④ ⇨ ☐ 개

작은 삼각형 3개짜리: ①+②+③, ②+③+④ ⇨ ☐ 개

작은 삼각형 4개짜리: ①+②+③+④ ⇨ ☐ 개

❷ 크고 작은 삼각형은 모두 몇 개?

☐ + ☐ + ☐ + ☐ = ☐ (개)

답 _____

문제가 어려웠나요?

☐ 어려워요!

☐ 적당해요 ^_^

☐ 쉬워요 >o<

 문제를 읽고 '연습하기'에서 했던 것처럼 밑줄을 그어 가며 문제를 풀어 보세요.

1 삼각형, 사각형, 원을 사용하여 만든 눈사람 모양 2개입니다. 눈사람 모양 2개를 만드는 데 가장 많이 사용한 도형과 가장 적게 사용한 도형의 변의 수의 합을 구해 보세요.

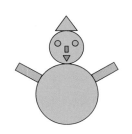 

❶ 눈사람 모양 2개를 만드는 데 사용한 도형의 수는?

❷ 가장 많이 사용한 도형과 가장 적게 사용한 도형은?

❸ 가장 많이 사용한 도형과 가장 적게 사용한 도형의 변의 수의 합은?

답 _____

2 오른쪽 도형에서 찾을 수 있는 크고 작은 사각형은 모두 몇 개인가요?

①	②
③	④

❶ 작은 사각형 1개, 2개, 4개로 이루어진 사각형의 수는?

❷ 크고 작은 사각형은 모두 몇 개?

답 _____

3 삼각형, 사각형, 원을 달력에 표시하였습니다. 가장 많이 사용한 도형과 가장 적게 사용한 도형의 꼭짓점의 수의 차를 구해 보세요.

일	월	화	수	목	금	토
1	2	③	4	5	6	⑦
8	△9	10	11	△12	13	14
15	16	⑰	18	19	△20	21
22	23	24	25	26	27	△28
△29	30	31				

❶ 달력에 표시를 하는 데 사용한 도형의 수는?

❷ 가장 많이 사용한 도형과 가장 적게 사용한 도형은?

❸ 가장 많이 사용한 도형과 가장 적게 사용한 도형의 꼭짓점의 수의 차는?

🅐 _____

4 오른쪽 도형에서 찾을 수 있는 크고 작은 사각형은 모두 몇 개인가요?

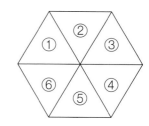

❶ 작은 삼각형 2개, 3개로 이루어진 사각형의 수는?

❷ 크고 작은 사각형은 모두 몇 개?

🅐 _____

단원 마무리

38쪽 사용한 도형의 구성 요소의 수 계산하기

1 삼각형, 사각형, 원을 사용하여 만든 과일 꼬치 모양 3개입니다. 과일 꼬치 모양 3개를 만드는 데 가장 많이 사용한 도형은 무엇인지 쓰고, 그 도형의 변의 수를 구해 보세요.

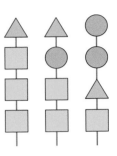

풀이

답 _____ , _____

32쪽 쌓기나무의 수 비교하기

2 민혁이와 기현이가 쌓기나무로 다음과 같은 모양을 만들었습니다. 쌓기나무를 더 많이 사용한 사람은 누구인가요?

민혁

기현

풀이

답 _____

정답과 해설 10쪽

38쪽 사용한 도형의 구성 요소의 수 계산하기

3

삼각형, 사각형, 원을 사용하여 만든 사탕 모양
2개입니다. 사탕 모양 2개를 만드는 데 가장 많이
사용한 도형과 가장 적게 사용한 도형의 꼭짓점의
수의 합을 구해 보세요.

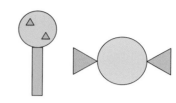

풀이

답 _____

32쪽 쌓기나무의 수 비교하기

4

㉠과 ㉡ 중 쌓기나무를 더 적게 사용한 것은 어느 것인가요?

㉠

㉡

풀이

답 _____

34쪽 남은 쌓기나무의 수 구하기

5

쌓기나무가 10개 들어 있는 주머니에서 쌓기나무를 꺼내
오른쪽과 같은 모양을 만들었습니다. 모양을 만들고
주머니에 남은 쌓기나무는 몇 개인가요?

풀이

답 _____

32쪽 쌓기나무의 수 비교하기

6 사용한 쌓기나무의 수가 적은 것부터 차례대로 기호를 써 보세요.

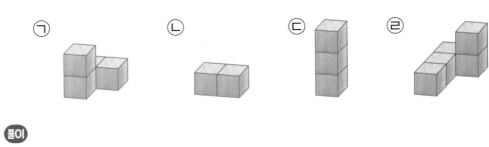

풀이

답 _____

34쪽 남은 쌓기나무의 수 구하기

7 하니는 쌓기나무로 오른쪽과 같은 모양을 만들었습니다.
모양을 만들고 남은 쌓기나무가 4개일 때, 처음에 하니가
가지고 있던 쌓기나무는 몇 개인가요?

풀이

답 _____

40쪽 크고 작은 도형의 수 구하기

8 오른쪽 도형에서 찾을 수 있는 크고 작은 사각형은
모두 몇 개인가요?

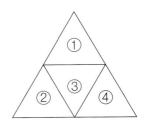

풀이

답 _____

34쪽 남은 쌓기나무의 수 구하기

9 쌓기나무로 오른쪽과 같은 모양을 3개 만들었습니다. 쌓기나무가 20개 있었다면 모양을 3개 만들고 남은 쌓기나무는 몇 개인가요?

풀이

답 _____

도전문제 10

40쪽 크고 작은 도형의 수 구하기

오른쪽 도형에서 찾을 수 있는 크고 작은 삼각형과 크고 작은 사각형은 모두 몇 개인가요?

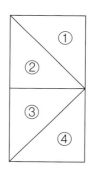

❶ 크고 작은 삼각형은 모두 몇 개?

❷ 크고 작은 사각형은 모두 몇 개?

❸ 크고 작은 삼각형과 크고 작은 사각형은 모두 몇 개?

답 _____

47

3 덧셈과 뺄셈

내가 입은 옷을
색칠하여 꾸며 봐!

7일

· 덧셈과 뺄셈

· 계산 결과의 크기
  비교하기

8일

· 처음의 수 구하기

· 바르게 계산한 값 구하기

9일

· 계산 결과가 가장 큰(작은)
  수가 되는 뺄셈식 만들기

· 합이 가장 큰(작은)
  덧셈식 만들기

10일

· 계산 결과가 가장 큰
  세 수의 계산식 만들기

· 합과 차가 주어진 두 수 구하기

11일

단원 마무리

함께 이야기해요!

요리를 만들며 빈칸에 알맞은 수나 기호를 써 보세요.

달걀을 15개 사용했더니 16개 남았어. 처음에 있던 달걀은

16+15=☐ 에서 ☐ 개야.

● 모양 도넛 28개와 ♥ 모양 도넛 14개를 만들었어.

도넛을 모두 28 ◯ ☐ = ☐ (개) 만들었네.

* RECIPE *
도넛 만들기

준비물
별사탕 2개
초콜릿 5개
밀가루, 달걀 4개

정답과 해설 12쪽

도넛 **42**개 중에서 **7**개를
옆집 악어에게 가져다 주면 도넛은

42 ◯ ▢ = ▢ (개) 남아.

1

문구점에서 어제 **볼펜은 32자루** 팔렸고, /

연필은 볼펜보다 14자루 더 적게 팔렸습니다. /

어제 팔린 볼펜과 연필은 /

모두 몇 자루인가요? └─★ 구해야 할 것

문제 돋보기

✔ 어제 팔린 볼펜의 수는?

→ ☐ 자루

✔ 어제 팔린 연필의 수는?

→ 볼펜보다 ☐ 자루 더 적게 팔렸습니다.

★ 구해야 할 것은?

→ _____ 어제 팔린 볼펜과 연필의 수 _____

풀이 과정

❶ 어제 팔린 연필의 수는?

☐ ◯ ☐ = ☐ (자루)

└ 어제 팔린 볼펜의 수

❷ 어제 팔린 볼펜과 연필의 수는?

☐ ◯ ☐ = ☐ (자루)

└ 어제 팔린 볼펜의 수   └ 어제 팔린 연필의 수

답 _____

정답과 해설 12쪽

 왼쪽 **1**번과 같이 문제에 색칠하고 밑줄을 그어 가며 문제를 풀어 보세요.

1-1 유진이네 학교 남학생은 49명이고, /
여학생은 남학생보다 11명 더 적습니다. /
유진이네 학교 남학생과 여학생은 /
모두 몇 명인가요?

문제 돋보기

✔ 유진이네 학교 남학생의 수는?

→ ☐ 명

✔ 유진이네 학교 여학생의 수는?

→ 남학생보다 ☐ 명 더 적습니다.

★ 구해야 할 것은?

→ ＿＿＿＿＿＿＿＿＿＿＿＿＿＿＿＿＿＿

풀이 과정

❶ 유진이네 학교 여학생의 수는?

 ☐ ○ ☐ ＝ ☐ (명)

❷ 유진이네 학교 남학생과 여학생의 수는?

 ☐ ○ ☐ ＝ ☐ (명)

 답 ＿＿＿＿＿＿＿＿＿＿

문제가 어려웠나요?

☐ 어려워요!

☐ 적당해요 ^_^

☐ 쉬워요 >o<

계산 결과의 크기 비교하기

2 소리와 수아가 가지고 있는 바둑돌의 수입니다. /
소리와 수아 중에서 / 바둑돌을 더 많이 가지고 있는 사람은 / 누구인가요?

└→ ★ 구해야 할 것

	검은색 바둑돌	흰색 바둑돌
소리	25개	46개
수아	39개	33개

문제 돋보기

✔ 소리가 가지고 있는 바둑돌의 수는?

→ 검은색 바둑돌: ☐ 개, 흰색 바둑돌: ☐ 개

✔ 수아가 가지고 있는 바둑돌의 수는?

→ 검은색 바둑돌: ☐ 개, 흰색 바둑돌: ☐ 개

★ 구해야 할 것은?

→ _____ 바둑돌을 더 많이 가지고 있는 사람 _____

풀이 과정

❶ 소리와 수아가 각각 가지고 있는 바둑돌의 수는?

소리: 25 ◯ ☐ = ☐ (개)

└→ +, − 중 알맞은 것 쓰기

수아: 39 ◯ ☐ = ☐ (개)

❷ 바둑돌을 더 많이 가지고 있는 사람은?

☐ > ☐ 이므로 더 많이 가지고 있는 사람은 ☐ 입니다.

답 _____

정답과 해설 13쪽

💡 왼쪽 ❷번과 같이 문제에 색칠하고 밑줄을 그어 가며 문제를 풀어 보세요.

2-1 과일 가게에서 어제와 오늘 판 / 오렌지와 자몽의 수입니다. / 오렌지와 자몽 중에서 / 이틀 동안 더 많이 팔린 과일은 / 어느 것인가요?

	어제	오늘
오렌지	35개	28개
자몽	16개	44개

문제 돋보기

✔ 어제와 오늘 판 오렌지의 수는?

→ 어제: [ ]개, 오늘: [ ]개

✔ 어제와 오늘 판 자몽의 수는?

→ 어제: [ ]개, 오늘: [ ]개

★ 구해야 할 것은?

→ _____

풀이 과정

❶ 이틀 동안 각각 팔린 오렌지와 자몽의 수는?

오렌지: 35 ◯ [ ] = [ ] (개)

자몽: 16 ◯ [ ] = [ ] (개)

❷ 이틀 동안 더 많이 팔린 과일은?

[ ] > [ ] 이므로 이틀 동안 더 많이 팔린 과일은

[ ] 입니다.

답 _____

문제가 어려웠나요?
☐ 어려워요!
☐ 적당해요 ^-^
☐ 쉬워요 >o<

◆ 덧셈과 뺄셈
◆ 계산 결과의 크기 비교하기

 문제를 읽고 '연습하기'에서 했던 것처럼 밑줄을 그어 가며 문제를 풀어 보세요.

1 과수원에 사과나무가 33그루 있고, 복숭아나무는
사과나무보다 4그루 더 적게 있습니다. 과수원에 있는
사과나무와 복숭아나무는 모두 몇 그루인가요?

❶ 과수원에 있는 복숭아나무의 수는?

❷ 과수원에 있는 사과나무와 복숭아나무의 수는?

답 _____

2 나리는 동화책을 어제는 58쪽 읽었고, 오늘은 어제보다 21쪽 더 적게 읽었습니다.
나리가 어제와 오늘 읽은 동화책은 모두 몇 쪽인가요?

❶ 나리가 오늘 읽은 동화책의 쪽수는?

❷ 나리가 어제와 오늘 읽은 동화책의 쪽수는?

답 _____

정답과 해설 13쪽

3 유빈이와 효원이가 가지고 있는 탁구공의 수입니다. 유빈이와 효원이 중에서
탁구공을 더 많이 가지고 있는 사람은 누구인가요?

	흰색 탁구공	주황색 탁구공
유빈	18개	14개
효원	7개	26개

❶ 유빈이와 효원이가 각각 가지고 있는 탁구공의 수는?

❷ 탁구공을 더 많이 가지고 있는 사람은?

탑 _____

4 소담이는 줄넘기를 어제 36번 했고, 오늘 52번 했습니다.
진우는 줄넘기를 어제 66번 했고, 오늘 19번 했습니다. 소담이와 진우 중에서
이틀 동안 줄넘기를 더 적게 한 사람은 누구인가요?

❶ 소담이와 진우가 이틀 동안 각각 한 줄넘기 횟수는?

❷ 이틀 동안 줄넘기를 더 적게 한 사람은?

탑 _____

1 봉지에 초콜릿이 들어 있습니다. /
봉지에 초콜릿 9개를 더 담았더니 /
27개가 되었습니다. /
처음 봉지에 있던 초콜릿은 몇 개일까요?

└→ ★ 구해야 할 것

문제 돋보기

✔ 봉지에 더 담은 초콜릿의 수는?

→ ☐ 개

✔ 봉지에 더 담은 후 전체 초콜릿의 수는?

→ ☐ 개

★ 구해야 할 것은?

→ ＿＿＿＿＿ 처음 봉지에 있던 초콜릿의 수 ＿＿＿＿＿

풀이 과정

❶ 처음 봉지에 있던 초콜릿의 수를 ■개라 하여 식으로 나타내면?

■ ○ 9 = ☐

└→ +, − 중 알맞은 것 쓰기

❷ 처음 봉지에 있던 초콜릿의 수는?

☐ − 9 = ■, ■ = ☐ 이므로

처음 봉지에 있던 초콜릿은 ☐ 개입니다.

답 ＿＿＿＿＿＿＿＿＿＿

정답과 해설 14쪽

 왼쪽 **①**번과 같이 문제에 색칠하고 밑줄을 그어 가며 문제를 풀어 보세요.

1-1 상자에 병뚜껑이 있습니다. / 진혁이가 병뚜껑 34개를 사용하여 / 재활용 작품을 만들었더니 / 7개가 남았습니다. / 처음 상자에 있던 병뚜껑은 몇 개일까요?

문제 돋보기

✔ 진혁이가 사용한 병뚜껑의 수는?

→ ⬚ 개

✔ 진혁이가 사용하고 남은 병뚜껑의 수는?

→ ⬚ 개

★ 구해야 할 것은?

→ _____

풀이 과정

❶ 처음 상자에 있던 병뚜껑의 수를 ■개라 하여 식으로 나타내면?

■ ◯ 34 = ⬚

❷ 처음 상자에 있던 병뚜껑의 수는?

⬚ ＋34＝■, ■＝ ⬚ 이므로

처음 상자에 있던 병뚜껑은 ⬚ 개입니다.

문제가 어려웠나요?
☐ 어려워요!
☐ 적당해요 ^-^
☐ 쉬워요 >o<

답 _____

2

어떤 수에 **8을 더해야 할 것을** /

잘못하여 뺐더니 23이 되었습니다. /

바르게 계산한 값은 얼마인가요?

└→ ★ 구해야 할 것

 문제
돋보기

✔ 잘못 계산한 식은?

→ (덧셈식 , 뺄셈식)을 계산해야 하는데 잘못하여

(덧셈식 , 뺄셈식)을 계산했습니다.

✔ 바르게 계산하려면?

→ 어떤 수에(서) ☐ 을(를) (더합니다 , 뺍니다).

★ 구해야 할 것은?

→ _____ 바르게 계산한 값 _____

 풀이
과정

❶ 어떤 수를 ■라 할 때, 잘못 계산한 식은?

■ − ☐ = ☐

❷ 어떤 수는?

☐ + ☐ = ■, ■ = ☐

❸ 바르게 계산한 값은?

☐ + ☐ = ☐

└→ 어떤 수

탑 _____

정답과 해설 14쪽

 왼쪽 ❷번과 같이 문제에 색칠하고 밑줄을 그어 가며 문제를 풀어 보세요.

2-1 어떤 수에서 17을 빼야 할 것을 / 잘못하여 더했더니 61이 되었습니다. / 바르게 계산한 값은 얼마인가요?

문제 돋보기

✔ 잘못 계산한 식은?

→ (덧셈식 , 뺄셈식)을 계산해야 하는데 잘못하여

(덧셈식 , 뺄셈식)을 계산했습니다.

✔ 바르게 계산하려면?

→ 어떤 수에(서) ☐ 을(를) (더합니다 , 뺍니다).

★ 구해야 할 것은?

→ _____

풀이 과정

❶ 어떤 수를 ■라 할 때, 잘못 계산한 식은?

■ + ☐ = ☐

❷ 어떤 수는?

☐ − ☐ = ■ , ■ = ☐

❸ 바르게 계산한 값은?

☐ − ☐ = ☐
└→ 어떤 수

답 _____

문제를 읽고 '연습하기'에서 했던 것처럼 밑줄을 그어 가며 문제를 풀어 보세요.

1 운동장에 학생들이 모여 있습니다. 교실에서 14명이 운동장으로 나왔더니
모두 22명이 되었습니다. 처음 운동장에 모여 있던 학생은 몇 명일까요?

❶ 처음 운동장에 모여 있던 학생의 수를 ■명이라 하여 식으로 나타내면?

❷ 처음 운동장에 모여 있던 학생의 수는?

답 _____

2 꽃 가게에 장미가 있습니다. 그중에서 29송이를 팔았더니 57송이가 남았습니다.
처음 꽃 가게에 있던 장미는 몇 송이일까요?

❶ 처음 꽃 가게에 있던 장미의 수를 ■송이라 하여 식으로 나타내면?

❷ 처음 꽃 가게에 있던 장미의 수는?

답 _____

정답과 해설 15쪽

3 어떤 수에 38을 더해야 할 것을 잘못하여 뺐더니 8이 되었습니다. 바르게 계산한 값은 얼마인가요?

❶ 어떤 수를 ■라 할 때, 잘못 계산한 식은?

❷ 어떤 수는?

❸ 바르게 계산한 값은?

답 _____

4 어떤 수에서 63을 빼야 할 것을 잘못하여 53을 뺐더니 29가 되었습니다. 바르게 계산한 값은 얼마인가요?

❶ 어떤 수를 ■라 할 때, 잘못 계산한 식은?

❷ 어떤 수는?

❸ 바르게 계산한 값은?

답 _____

1

수 카드 3 , 5 , 6 중에서 /

2장을 골라 **두 자리 수를 만들어** / **72에서 빼려고 합니다.** /

계산 결과가 가장 큰 수가 되는 / 뺄셈식을 쓰고 계산해 보세요.

└─★ 구해야 할 것

✔ 수 카드를 이용하여 만들려는 식은?

→ ⬜ ─ (두 자리 수)

★ 구해야 할 것은?

→ 계산 결과가 가장 큰 수가 되는 뺄셈식을 쓰고 계산하기

❶ 계산 결과가 가장 큰 수가 되는 뺄셈식을 만들려면?

72에서 가장 (큰 , 작은) 수를 빼야 합니다.

❷ 수 카드로 만들 수 있는 가장 작은 두 자리 수는?

수 카드의 수의 크기를 비교하면 ⬜ < ⬜ < ⬜ 이므로

수 카드로 만들 수 있는 가장 작은 두 자리 수는 ⬜ 입니다.

❸ 계산 결과가 가장 큰 수가 되는 뺄셈식을 쓰고 계산하면?

72 ─ ⬜ = ⬜

└• 수 카드로 만들 수 있는
  가장 작은 두 자리 수

답 _____

정답과 해설 15쪽

왼쪽 **1**번과 같이 문제에 색칠하고 밑줄을 그어 가며 문제를 풀어 보세요.

1-1 수 카드 1 , 7 , 8 중에서 / 2장을 골라 두 자리 수를 만들어 /

93에서 빼려고 합니다. / 계산 결과가 가장 작은 수가 되는 / 뺄셈식을 쓰고

계산해 보세요.

문제 돋보기

✔ 수 카드를 이용하여 만들려는 식은?

→ ☐ − (두 자리 수)

★ 구해야 할 것은?

→ _____

풀이 과정

❶ 계산 결과가 가장 작은 수가 되는 뺄셈식을 만들려면?

93에서 가장 (큰 , 작은) 수를 빼야 합니다.

❷ 수 카드로 만들 수 있는 가장 큰 두 자리 수는?

수 카드의 수의 크기를 비교하면 ☐ > ☐ > ☐ 이므로

수 카드로 만들 수 있는 가장 큰 두 자리 수는 ☐ 입니다.

❸ 계산 결과가 가장 작은 수가 되는 뺄셈식을 쓰고 계산하면?

93 − ☐ = ☐

└→ 수 카드로 만들 수 있는
    가장 큰 두 자리 수

문제가 어려웠나요?

☐ 어려워요!

☐ 적당해요 ^-^

☐ 쉬워요 >ㅇ<

답 _____

65

합이 가장 큰(작은) 덧셈식 만들기

2

수 카드 2 , 3 , 5 , 6 을 한 번씩 모두 사용하여 /

(두 자리 수)+(두 자리 수)를 만들려고 합니다. /

합이 가장 큰 덧셈식을 쓰고 / 계산해 보세요.

└→★ 구해야 할 것

문제 돋보기

✔ 수 카드를 이용하여 만들려는 식은?

→ (두 자리 수) ◯ (두 자리 수)

★ 구해야 할 것은?

→ _____합이 가장 큰 덧셈식을 쓰고 계산하기_____

풀이 과정

❶ 합이 가장 크도록 두 자리 수를 2개 만들려면?

두 수의 십의 자리에 각각 가장 (큰 , 작은) 수와 둘째로 (큰 , 작은)

수를 놓고 나머지 두 수를 일의 자리에 각각 놓아야 합니다.

❷ 두 수의 십의 자리와 일의 자리에 놓아야 하는 수는?

수 카드의 수의 크기를 비교하면 6＞5＞3＞2이므로

두 수의 십의 자리에 놓아야 하는 수는 ☐ , ☐ 이고,

일의 자리에 놓아야 하는 수는 ☐ , ☐ 입니다.

❸ 합이 가장 큰 덧셈식을 쓰고 계산하면?

☐ + ☐ = ☐

탑 _____

정답과 해설 16쪽

 왼쪽 ❷번과 같이 문제에 색칠하고 밑줄을 그어 가며 문제를 풀어 보세요.

2-1

수 카드 1 , 4 , 5 , 8 을 한 번씩 모두 사용하여 /

(두 자리 수)+(두 자리 수)를 만들려고 합니다. /

합이 가장 작은 덧셈식을 쓰고 / 계산해 보세요.

문제 돋보기

✔ 수 카드를 이용하여 만들려는 식은?

→ (두 자리 수) ◯ (두 자리 수)

★ 구해야 할 것은?

→ _____

풀이 과정

❶ 합이 가장 작도록 두 자리 수를 2개 만들려면?

두 수의 십의 자리에 각각 가장 (큰 , 작은) 수와 둘째로 (큰 , 작은)
수를 놓고 나머지 두 수를 일의 자리에 각각 놓아야 합니다.

❷ 두 수의 십의 자리와 일의 자리에 놓아야 하는 수는?

수 카드의 수의 크기를 비교하면 1<4<5<8이므로

두 수의 십의 자리에 놓아야 하는 수는 ☐ , ☐ 이고,

일의 자리에 놓아야 하는 수는 ☐ , ☐ 입니다.

❸ 합이 가장 작은 덧셈식을 쓰고 계산하면?

☐☐ + ☐☐ = ☐☐☐

답 _____

문제가 어려웠나요?

☐ 어려워요!

☐ 적당해요 ^-^

☐ 쉬워요 >o<

💡 문제를 읽고 '연습하기'에서 했던 것처럼 밑줄을 그어 가며 문제를 풀어 보세요.

1 수 카드 2, 6, 8 중에서 2장을 골라 두 자리 수를 만들어 90에서 빼려고 합니다. 계산 결과가 가장 큰 수가 되는 뺄셈식을 쓰고 계산해 보세요.

❶ 계산 결과가 가장 큰 수가 되는 뺄셈식을 만들려면?

❷ 수 카드로 만들 수 있는 가장 작은 두 자리 수는?

❸ 계산 결과가 가장 큰 수가 되는 뺄셈식을 쓰고 계산하면?

답 _____

2 수 카드 1, 3, 4, 5 중에서 2장을 골라 두 자리 수를 만들어 61에서 빼려고 합니다. 계산 결과가 가장 작은 수가 되는 뺄셈식을 쓰고 계산해 보세요.

❶ 계산 결과가 가장 작은 수가 되는 뺄셈식을 만들려면?

❷ 수 카드로 만들 수 있는 가장 큰 두 자리 수는?

❸ 계산 결과가 가장 작은 수가 되는 뺄셈식을 쓰고 계산하면?

답 _____

정답과 해설 16쪽

3 수 카드 1 , 2 , 7 , 8 을 한 번씩 모두 사용하여 (두 자리 수)＋(두 자리 수)를 만들려고 합니다. 합이 가장 큰 덧셈식을 쓰고 계산해 보세요.

❶ 합이 가장 크도록 두 자리 수를 2개 만들려면?

❷ 두 수의 십의 자리와 일의 자리에 놓아야 하는 수는?

❸ 합이 가장 큰 덧셈식을 쓰고 계산하면?

답 _____

4 수 카드 6 , 7 , 8 , 9 를 한 번씩 모두 사용하여 (두 자리 수)＋(두 자리 수)를 만들려고 합니다. 합이 가장 작은 덧셈식을 쓰고 계산해 보세요.

❶ 합이 가장 작도록 두 자리 수를 2개 만들려면?

❷ 두 수의 십의 자리와 일의 자리에 놓아야 하는 수는?

❸ 합이 가장 작은 덧셈식을 쓰고 계산하면?

답 _____

1

세 수를 빈칸에 써넣어 /

계산 결과가 가장 큰 세 수의 계산식을 만들려고 합니다. /

계산 결과가 가장 큰 세 수의 계산식을 쓰고 /

계산해 보세요. ┗━ ★ 구해야 할 것

⑱ ⑭ ㉓ ☐ + ☐ − ☐

문제 돋보기

★ 구해야 할 것은?

→ _____계산 결과가 가장 큰 세 수의 계산식을 쓰고 계산하기_____

✔ 계산 결과가 가장 큰 세 수의 계산식을 만들려면?

→ 더하는 수는 (작게 , 크게), 빼는 수는 (작게 , 크게) 해야
   계산 결과가 가장 큽니다.

풀이 과정

❶ 계산 결과가 가장 큰 세 수의 계산식을 만들려면?

가장 큰 수인 ☐ 과(와) 둘째로 큰 수인 ☐ 을(를) 더하고

가장 작은 수인 ☐ 을(를) 빼야 합니다.

❷ 계산 결과가 가장 큰 세 수의 계산식을 쓰고 계산하면?

☐ + ☐ − ☐ = ☐

답 _____

정답과 해설 17쪽

 왼쪽 **1**번과 같이 문제에 색칠하고 밑줄을 그어 가며 문제를 풀어 보세요.

1-1 세 수를 빈칸에 써넣어 / 계산 결과가 가장 큰 세 수의 계산식을 만들려고
합니다. / 계산 결과가 가장 큰 세 수의 계산식을 쓰고 / 계산해 보세요.

35   26   19   □ − □ + □

문제 돋보기

★ 구해야 할 것은?

→ _____

✓ 계산 결과가 가장 큰 세 수의 계산식을 만들려면?

→ 빼는 수는 (작게 , 크게), 더하는 수는 (작게 , 크게) 해야
계산 결과가 가장 큽니다.

풀이 과정

❶ 계산 결과가 가장 큰 세 수의 계산식을 만들려면?

가장 큰 수인 □ 에서 가장 작은 수인 □ 을(를) 빼고

둘째로 큰 수인 □ 을(를) 더해야 합니다.

❷ 계산 결과가 가장 큰 세 수의 계산식을 쓰고 계산하면?

□ − □ + □ = □

❸ **답** _____

문제가 어려웠나요?

☐ 어려워요!

☐ 적당해요 ^-^

☐ 쉬워요 >o<

합과 차가 주어진 두 수 구하기

2 소라는 두 자리 수가 적힌 공을 / 2개 가지고 있습니다. /
공에 적힌 **두 수의 합은 65**이고, / **두 수의 차는 9**입니다. /
소라가 가지고 있는 공에 적힌 두 수는 / 각각 얼마인가요?

  └→ ★ 구해야 할 것

문제 돋보기

✔ 공에 적힌 두 수의 합은? → ☐

✔ 공에 적힌 두 수의 차는? → ☐

★ 구해야 할 것은?

→ _____ 소라가 가지고 있는 공에 적힌 두 수 _____

풀이 과정

❶ 두 수의 합이 65가 되도록 표를 만들면?

첫 번째 수	33	34	35	36	37	38	……
두 번째 수	32	31					……
두 수의 차	1						……

❷ 소라가 가지고 있는 공에 적힌 두 수는?
위 ❶의 표에서 합이 65이고, 차가 9인 두 수는 각각

☐ , ☐ 입니다.

답 _____ , _____

72

정답과 해설 17쪽

💡 왼쪽 ❷번과 같이 문제에 색칠하고 밑줄을 그어 가며 문제를 풀어 보세요.

2-1 채우는 두 자리 수가 적힌 수 카드를 / 2개 가지고 있습니다. / 수 카드에 적힌 두 수의 합은 68이고, / 두 수의 차는 10입니다. / 채우가 가지고 있는 수 카드에 적힌 두 수는 / 각각 얼마인가요?

문제 돋보기

✔ 수 카드에 적힌 두 수의 합은? → ☐

✔ 수 카드에 적힌 두 수의 차는? → ☐

★ 구해야 할 것은?

→ _____

풀이 과정

❶ 두 수의 합이 68이 되도록 표를 만들면?

첫 번째 수	34	35	36	37	38	39	……
두 번째 수	34						……
두 수의 차	0						……

❷ 채우가 가지고 있는 수 카드에 적힌 두 수는?

위 ❶의 표에서 합이 68이고, 차가 10인 두 수는 각각

☐ , ☐ 입니다.

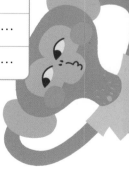

답 _____ , _____

문제가 어려웠나요?

☐ 어려워요!

☐ 적당해요 ^_^

☐ 쉬워요>o<

문장제 실력쌓기

◆ 계산 결과가 가장 큰 세 수의 계산식 만들기
◆ 합과 차가 주어진 두 수 구하기

💡 문제를 읽고 '연습하기'에서 했던 것처럼 밑줄을 그어 가며 문제를 풀어 보세요.

1 세 수를 빈칸에 써넣어 계산 결과가 가장 큰 세 수의 계산식을 만들려고 합니다.
계산 결과가 가장 큰 세 수의 계산식을 쓰고 계산해 보세요.

12 15 28   ☐ − ☐ + ☐

❶ 계산 결과가 가장 큰 세 수의 계산식을 만들려면?

❷ 계산 결과가 가장 큰 세 수의 계산식을 쓰고 계산하면?

답 _____

2 네 수 중에서 세 수를 빈칸에 써넣어 계산 결과가 가장 큰 세 수의 계산식을
만들려고 합니다. 계산 결과가 가장 큰 세 수의 계산식을 쓰고 계산해 보세요.

16 37 55 31   ☐ + ☐ − ☐

❶ 계산 결과가 가장 큰 세 수의 계산식을 만들려면?

❷ 계산 결과가 가장 큰 세 수의 계산식을 쓰고 계산하면?

답 _____

74

정답과 해설 18쪽

3 유라는 두 자리 수가 적힌 공을 2개 가지고 있습니다. 공에 적힌 두 수의 합은 43이고, 두 수의 차는 5입니다. 유라가 가지고 있는 공에 적힌 두 수는 각각 얼마인가요?

❶ 두 수의 합이 43이 되도록 표를 만들면?

❷ 유라가 가지고 있는 공에 적힌 두 수는?

답 _____ , _____

4 태건이는 두 자리 수가 적힌 수 카드를 2개 가지고 있습니다. 수 카드에 적힌 두 수의 합은 87이고, 두 수의 차는 17입니다. 태건이가 가지고 있는 수 카드에 적힌 두 수는 각각 얼마인가요?

❶ 두 수의 합이 87이 되도록 표를 만들면?

❷ 태건이가 가지고 있는 수 카드에 적힌 두 수는?

답 _____ , _____

52쪽 덧셈과 뺄셈

1 냉장고에 귤이 34개 있고, 사과는 귤보다 15개 더 적게 있습니다.
냉장고에 있는 귤과 사과는 모두 몇 개인가요?

풀이

답

58쪽 처음의 수 구하기

2 생선 가게에 고등어가 있습니다. 그중에서 55마리를 팔았더니 37마리가
남았습니다. 처음 생선 가게에 있던 고등어는 몇 마리일까요?

풀이

답

64쪽 계산 결과가 가장 큰(작은) 수가 되는 뺄셈식 만들기

3 수 카드 4 , 6 , 7 중에서 2장을 골라 두 자리 수를 만들어

85에서 빼려고 합니다. 계산 결과가 가장 큰 수가 되는 뺄셈식을 쓰고
계산해 보세요.

풀이

답

54쪽 계산 결과의 크기 비교하기

4 세아와 민욱이가 가지고 있는 사탕의 수입니다. 세아와 민욱이 중에서
사탕을 더 적게 가지고 있는 사람은 누구인가요?

	딸기맛 사탕	레몬맛 사탕
세아	19개	18개
민욱	25개	7개

풀이

답 _____

72쪽 합과 차가 주어진 두 수 구하기

5 선미는 두 자리 수가 적힌 공을 2개 가지고 있습니다. 공에 적힌
두 수의 합은 69이고, 두 수의 차는 19입니다. 선미가 가지고 있는
공에 적힌 두 수는 각각 얼마인가요?

풀이

답 _____ , _____

6

60쪽 바르게 계산한 값 구하기

어떤 수에서 19를 빼야 할 것을 잘못하여 더했더니 72가 되었습니다.
바르게 계산한 값은 얼마인가요?

풀이

답 _____

7

70쪽 계산 결과가 가장 큰 세 수의 계산식 만들기

세 수를 빈칸에 써넣어 계산 결과가 가장 큰 세 수의 계산식을 만들려고
합니다. 계산 결과가 가장 큰 세 수의 계산식을 쓰고 계산해 보세요.

27 48 33   □ ＋ □ － □

풀이

답 _____

8

66쪽 합이 가장 큰(작은) 덧셈식 만들기

수 카드 1 , 3 , 6 , 8 을 한 번씩 모두 사용하여

(두 자리 수)＋(두 자리 수)를 만들려고 합니다. 합이 가장 큰 덧셈식을
쓰고 계산해 보세요.

풀이

답 _____

70쪽 계산 결과가 가장 큰 세 수의 계산식 만들기

9
네 수 중에서 세 수를 빈칸에 써넣어 계산 결과가 가장 큰 세 수의

계산식을 만들려고 합니다. 계산 결과가 가장 큰 세 수의 계산식을 쓰고

계산해 보세요.

35　58　36　19　　☐ − ☐ + ☐

풀이

답 _____

64쪽 계산 결과가 가장 큰(작은) 수가 되는 뺄셈식 만들기

10
수 카드 2 , 5 , 8 중에서 2장을 골라 두 자리 수를 만들어

90에서 빼려고 합니다. 계산 결과가 둘째로 작은 수가 되는 뺄셈식을 쓰고

계산해 보세요.

❶ 계산 결과가 둘째로 작은 수가 되는 뺄셈식을 만들려면?

❷ 수 카드로 만들 수 있는 둘째로 큰 두 자리 수는?

❸ 계산 결과가 둘째로 작은 수가 되는 뺄셈식을 쓰고 계산하면?

답 _____

4 길이 재기

내가 입은 바지를
색칠하여 꾸며 봐!

12일

· 단위의 길이 비교하기
· 1 cm를 이용하여 길이 구하기

13일

· 단위길이가 달라졌을 때
  잰 횟수 구하기
· 막대를 사용하여
  잴 수 있는 길이 구하기

14일

단원 마무리

함께 이야기해요!

요리를 만들며 빈칸에 알맞은 수를 써 보세요.

* RECIPE *
케이크 만들기
준비물
버터, 밀가루, 우유
딸기 6개
달걀 3개

쟁반의 긴 쪽의 길이를 숟가락으로 재면 [ ]번,

포크로 재면 [ ]번이야.

별 장식의 길이는 ☐ cm에 가깝기 때문에

약 ☐ cm야.

막대 과자의 길이는

1 cm가 8번이니까 ☐ cm야.

1

식탁의 긴 쪽의 길이를 /

젓가락, 포크, 국자를 이용하여 각각 재어 보았더니 /

잰 횟수가 젓가락으로 11번, 포크로 14번, 국자로 9번이었습니다. /

길이가 가장 짧은 물건은 무엇인가요?

└─→ 구해야 할 것

문제 돋보기

✓ 식탁의 긴 쪽의 길이를 젓가락, 포크, 국자로 각각 잰 횟수는?

→ 젓가락: [ ]번, 포크: [ ]번, 국자: [ ]번

★ 구해야 할 것은?

→ _____
   길이가 가장 짧은 물건

풀이 과정

❶ 식탁의 긴 쪽의 길이를 각각의 물건으로 잰 횟수를 비교하면?

[ ] > [ ] > [ ] 이므로

잰 횟수가 가장 많은 물건은 [ ] 입니다.

❷ 길이가 가장 짧은 물건은?

같은 길이를 잴 때, 잰 횟수가 많을수록 단위길이가 짧으므로

길이가 가장 짧은 물건은 [ ] 입니다.

답 _____

84

정답과 해설 20쪽

 왼쪽 **①**번과 같이 문제에 색칠하고 밑줄을 그어 가며 문제를 풀어 보세요.

1-1 현아, 동재, 은서가 칠판의 긴 쪽의 길이를 / 각자의 뼘으로 재어 보았더니 / 잰 횟수가 현아는 10뼘, 동재는 8뼘, 은서는 9뼘이었습니다. / 뼘의 길이가 가장 긴 사람은 누구인가요?

문제 돋보기

✓ 칠판의 긴 쪽의 길이를 현아, 동재, 은서가 각자의 뼘으로 잰 횟수는?

→ 현아: ☐ 뼘, 동재: ☐ 뼘, 은서: ☐ 뼘

★ 구해야 할 것은?

→ _____

풀이 과정

❶ 칠판의 긴 쪽의 길이를 각자의 뼘으로 잰 횟수를 비교하면?

☐ < ☐ < ☐ 이므로

뼘으로 잰 횟수가 가장 적은 사람은 ☐ 입니다.

❷ 뼘의 길이가 가장 긴 사람은?

같은 길이를 잴 때, 잰 횟수가 적을수록 단위길이가 길므로

뼘의 길이가 가장 긴 사람은 ☐ 입니다.

문제가 어려웠나요?

☐ 어려워요!

☐ 적당해요 ^_^

☐ 쉬워요 >o<

답 _____

1 cm를 이용하여 길이 구하기

2 가장 작은 사각형의 변의 길이는 모두 1 cm입니다. /

그림에서 빨간색 선은 개미가 움직인 거리를 나타낼 때, /

개미가 움직인 거리는 몇 cm인가요?

└→ ★ 구해야 할 것

1 cm

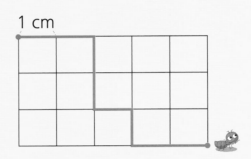

 문제 돋보기

✓ 가장 작은 사각형의 한 변의 길이는? → 모두 [ ] cm로 같습니다.

✓ 개미가 움직인 거리를 나타내는 것은? → 빨간색 선의 (길이 , 두께)

★ 구해야 할 것은?

→ _____ 개미가 움직인 거리 _____

풀이 과정

❶ 빨간색 선은 1 cm로 몇 번?

빨간색 선은 1 cm로 [ ] 번입니다.

❷ 개미가 움직인 거리는?

개미가 움직인 거리는 1 cm로 [ ] 번이므로 [ ] cm입니다.

답 _____

왼쪽 ❷번과 같이 문제에 색칠하고 밑줄을 그어 가며 문제를 풀어 보세요.

2-1 가장 작은 사각형의 변의 길이는 모두 1 cm입니다. / 그림에서 초록색 선은 무당벌레가 움직인 거리를 나타낼 때, / 무당벌레가 움직인 거리는 몇 cm인가요?

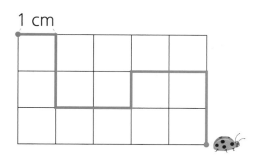

(문제 돋보기)

✔ 가장 작은 사각형의 한 변의 길이는? → 모두 ☐ cm로 같습니다.

✔ 무당벌레가 움직인 거리를 나타내는 것은? → 초록색 선의 (길이 , 두께)

★ 구해야 할 것은?

→ _____

(풀이 과정)

❶ 초록색 선은 1 cm로 몇 번?

초록색 선은 1 cm로 ☐ 번입니다.

❷ 무당벌레가 움직인 거리는?

무당벌레가 움직인 거리는 1 cm로 ☐ 번이므로

☐ cm입니다.

❸ 답 _____

문제가 어려웠나요?

☐ 어려워요!

☐ 적당해요 ^-^

☐ 쉬워요 >○<

 문제를 읽고 '연습하기'에서 했던 것처럼 밑줄을 그어 가며 문제를 풀어 보세요.

1 막대의 길이를 사인펜, 붓, 칫솔을 이용하여 각각 재어 보았더니 잰 횟수가
사인펜으로 20번, 붓으로 11번, 칫솔로 16번이었습니다. 길이가 가장 긴 물건은
무엇인가요?

❶ 막대의 길이를 각각의 물건으로 잰 횟수를 비교하면?

❷ 길이가 가장 긴 물건은?

답

2 정호, 연희, 진우가 강당의 짧은 쪽의 길이를 각자의 걸음으로 재어 보았더니
잰 횟수가 정호는 27걸음, 연희는 25걸음, 진우는 29걸음이었습니다.
걸음의 길이가 가장 짧은 사람은 누구인가요?

❶ 강당의 짧은 쪽의 길이를 각자의 걸음으로 잰 횟수를 비교하면?

❷ 걸음의 길이가 가장 짧은 사람은?

답

3 가장 작은 사각형의 변의 길이는 모두 1 cm입니다.
오른쪽 그림에서 빨간색 선은 거미가 움직인 거리를
나타낼 때, 거미가 움직인 거리는 몇 cm인가요?

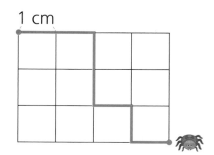

❶ 빨간색 선은 1 cm로 몇 번?

❷ 거미가 움직인 거리는?

답 _____

4 가장 작은 사각형의 변의 길이는 모두 1 cm입니다.
오른쪽 그림에서 초록색 선은 애벌레가 움직인 거리를
나타낼 때, 애벌레가 움직인 거리는 몇 cm인가요?

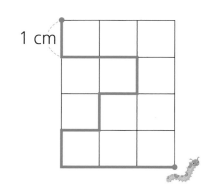

❶ 초록색 선은 1 cm로 몇 번?

❷ 애벌레가 움직인 거리는?

답 _____

1

색연필의 길이는 /

길이가 4 cm인 지우개로 3번 잰 것과 같습니다. /

이 색연필의 길이는 /

길이가 6 cm인 물감으로 몇 번 잰 것과 같은가요?

└─★ 구해야 할 것

문제
돋보기

✔ 색연필의 길이는?

→ 길이가 4 cm인 지우개로 [ ] 번 잰 길이

★ 구해야 할 것은?

→ _____색연필을 길이가 6 cm인 물감으로 잰 횟수_____

풀이
과정

❶ 색연필의 길이는?

색연필의 길이는 4 cm가 3번이므로

[ ] + [ ] + [ ] = [ ] (cm)입니다.

❷ 색연필을 길이가 6 cm인 물감으로 잰 횟수는?

[6] + [ ] = [ ] (cm)이므로 색연필의 길이는

길이가 6 cm인 물감으로 [ ] 번 잰 것과 같습니다.

답 _____

정답과 해설 22쪽

 왼쪽 **1**번과 같이 문제에 색칠하고 밑줄을 그어 가며 문제를 풀어 보세요.

1-1

볼펜의 길이는 / 길이가 3 cm인 클립으로 5번 잰 것과 같습니다. /

이 볼펜의 길이는 / 길이가 5 cm인 머리핀으로 몇 번 잰 것과 같은가요?

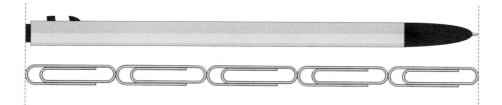

문제 돋보기

✔ 볼펜의 길이는?

→ 길이가 3 cm인 클립으로 [ ]번 잰 길이

★ 구해야 할 것은?

→ _____

풀이 과정

❶ 볼펜의 길이는?

볼펜의 길이는 3 cm가 5번이므로

[ ] + [ ] + [ ] + [ ] + [ ] = [ ] (cm)입니다.

❷ 볼펜을 길이가 5 cm인 머리핀으로 잰 횟수는?

[ ] + [ ] + [ ] = [ ] (cm)이므로 볼펜의 길이는

길이가 5 cm인 머리핀으로 [ ]번 잰 것과 같습니다.

문제가 어려웠나요?

☐ 어려워요!

☐ 적당해요 ^-^

☐ 쉬워요 >o<

답 _____

막대를 사용하여 잴 수 있는 길이 구하기

2

길이가 3 cm, 5 cm인 색 막대가 / 각각 한 개씩 있습니다. /
두 색 막대를 이어 붙이거나 겹쳐서 / 잴 수 있는 길이를 모두 구해 보세요.

└─★ 구해야 할 것

3 cm ‿‿‿‿   5 cm ‿‿‿‿

**문제
돋보기**

✓ 두 색 막대의 길이는? → ☐ cm, ☐ cm

✓ 두 색 막대를 이어 붙이면? [?   ]

→ 두 색 막대의 길이의 (합 , 차)을(를) 구할 수 있습니다.

✓ 두 색 막대를 겹치면? [   ]
                         [   ] ?

→ 두 색 막대의 길이의 (합 , 차)을(를) 구할 수 있습니다.

★ 구해야 할 것은?

→   두 색 막대를 이어 붙이거나 겹쳐서 잴 수 있는 길이

**풀이
과정**

❶ 두 색 막대를 이어 붙여서 잴 수 있는 길이는?

3+☐ = ☐ (cm)

❷ 두 색 막대를 겹쳐서 잴 수 있는 길이는?

☐ − ☐ = ☐ (cm)

답 _____ , _____

92

정답과 해설 22쪽

💡 왼쪽 ❷번과 같이 문제에 색칠하고 밑줄을 그어 가며 문제를 풀어 보세요.

2-1 길이가 4 cm, 7 cm인 색 테이프가 / 각각 한 개씩 있습니다. / 두 색 테이프를 이어 붙이거나 겹쳐서 / 잴 수 있는 길이를 모두 구해 보세요.

4 cm   7 cm

문제 돋보기

✔ 두 색 테이프의 길이는? → ☐ cm, ☐ cm

✔ 두 색 테이프를 이어 붙이면?   ?

→ 두 색 테이프의 길이의 (합 , 차)을(를) 구할 수 있습니다.

✔ 두 색 테이프를 겹치면?

→ 두 색 테이프의 길이의 (합 , 차)을(를) 구할 수 있습니다.

★ 구해야 할 것은?

→ _____

풀이 과정

❶ 두 색 테이프를 이어 붙여서 잴 수 있는 길이는?

4 + ☐ = ☐ (cm)

❷ 두 색 테이프를 겹쳐서 잴 수 있는 길이는?

☐ − ☐ = ☐ (cm)

답 _____ , _____

문제가 어려웠나요?

☐ 어려워요!

☐ 적당해요 ^-^

☐ 쉬워요 >o<

 문제를 읽고 '연습하기'에서 했던 것처럼 밑줄을 그어 가며 문제를 풀어 보세요.

1 젓가락의 길이는 길이가 7 cm인 면봉으로 3번 잰 것과 같습니다. 이 젓가락의 길이는 길이가 3 cm인 옷핀으로 몇 번 잰 것과 같은가요?

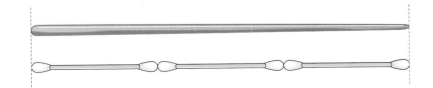

❶ 젓가락의 길이는?

❷ 젓가락을 길이가 3 cm인 옷핀으로 잰 횟수는?

답 ＿＿＿＿＿＿＿＿＿＿＿＿

2 팔찌의 길이는 길이가 9 cm인 종이띠로 2번 잰 것과 같습니다. 이 팔찌의 길이는 길이가 6 cm인 못으로 몇 번 잰 것과 같은가요?

❶ 팔찌의 길이는?

❷ 팔찌를 길이가 6 cm인 못으로 잰 횟수는?

답 ＿＿＿＿＿＿＿＿＿＿＿＿

정답과 해설 23쪽

3 길이가 5 cm, 9 cm인 색 막대가 각각 한 개씩 있습니다. 두 색 막대를 이어 붙이거나 겹쳐서 잴 수 있는 길이를 모두 구해 보세요.

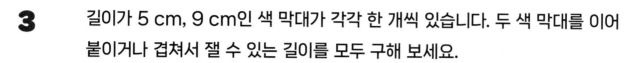

❶ 두 색 막대를 이어 붙여서 잴 수 있는 길이는?

❷ 두 색 막대를 겹쳐서 잴 수 있는 길이는?

답 _____ , _____

4 길이가 8 cm, 11 cm인 철사가 각각 한 개씩 있습니다. 두 철사를 이어 붙이거나 겹쳐서 잴 수 있는 길이를 모두 구해 보세요.

❶ 두 철사를 이어 붙여서 잴 수 있는 길이는?

❷ 두 철사를 겹쳐서 잴 수 있는 길이는?

답 _____ , _____

84쪽 단위의 길이 비교하기

1 전선의 길이를 색연필, 크레파스, 물감을 이용하여 각각 재어 보았더니
잰 횟수가 색연필로 7번, 크레파스로 12번, 물감으로 10번이었습니다.
길이가 가장 긴 물건은 무엇인가요?

풀이

답 _____

84쪽 단위의 길이 비교하기

2 민주, 선혜, 영기가 탁자의 긴 쪽의 길이를 각자의 뼘으로 재어 보았더니
잰 횟수가 민주는 15뼘, 선혜는 13뼘, 영기는 16뼘이었습니다.
뼘의 길이가 가장 짧은 사람은 누구인가요?

풀이

답 _____

86쪽 1 cm를 이용하여 길이 구하기

3 가장 작은 사각형의 변의 길이는 모두
1 cm입니다. 오른쪽 그림에서 빨간색
선은 꽃게가 움직인 거리를 나타낼 때,
꽃게가 움직인 거리는 몇 cm인가요?

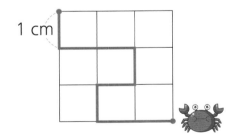

풀이

답 _____

86쪽 1 cm를 이용하여 길이 구하기

4 가장 작은 사각형의 변의 길이는 모두 1 cm입니다. 그림에서 초록색 선은 달팽이가 움직인 거리를 나타낼 때, 달팽이가 움직인 거리는 몇 cm인가요?

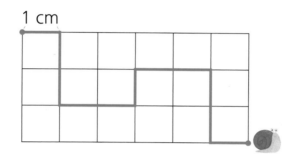

풀이

답 _____

90쪽 단위길이가 달라졌을 때 잰 횟수 구하기

5 색 테이프의 길이는 길이가 8 cm인 분필로 2번 잰 것과 같습니다.
이 색 테이프의 길이는 길이가 4 cm인 바늘로 몇 번 잰 것과 같은가요?

풀이

답 _____

90쪽 단위길이가 달라졌을 때 잰 횟수 구하기

6 끈의 길이는 길이가 5 cm인 건전지로 9번 잰 것과 같습니다.
이 끈의 길이는 길이가 15 cm인 숟가락으로 몇 번 잰 것과 같은가요?

풀이

답 _____

90쪽 단위길이가 달라졌을 때 잰 횟수 구하기

7 필통의 긴 쪽의 길이는 길이가 1 cm인 공깃돌로 20번 잰 것과 같습니다.
이 필통의 긴 쪽의 길이는 길이가 5 cm인 성냥개비로 몇 번 잰 것과
같은가요?

풀이

답 _____

92쪽 막대를 사용하여 잴 수 있는 길이 구하기

8 길이가 4 cm, 6 cm인 색 막대가 각각 한 개씩 있습니다. 두 색 막대를
이어 붙이거나 겹쳐서 잴 수 있는 길이를 모두 구해 보세요.

4 cm   6 cm

풀이

답 _____ , _____

92쪽 막대를 사용하여 잴 수 있는 길이 구하기

9 길이가 5 cm인 블록과 길이가 11 cm인 가위가 각각 한 개씩 있습니다.
두 물건을 이어 붙이거나 겹쳐서 잴 수 있는 길이를 모두 구해 보세요.

풀이

탑 _____ , _____

84쪽 단위의 길이 비교하기

10 세호, 은재, 성미가 학교 정문에서 버스 정류장까지의 거리를 각자의
걸음으로 재어 보았더니 잰 횟수가 세호는 25걸음, 은재는 30걸음이고,
성미는 세호보다 4걸음 더 적었습니다. 걸음의 길이가 가장 긴 사람은
누구인가요?

❶ 성미의 걸음으로 잰 횟수는?

❷ 학교 정문에서 버스 정류장까지의 거리를 각자 걸음으로 잰 횟수를
비교하면?

❸ 걸음의 길이가 가장 긴 사람은?

탑 _____

5 분류하기

내가 들고 있는 가방을 색칠하여 꾸며 봐!

15일

· 잘못 분류된 것 찾기
· 분류하여 개수 비교하기

16일

· 두 가지 분류 기준에 맞는 것 찾기
· 두 가지 기준에 맞게 분류하여 개수 비교하기

17일

단원 마무리

함께 이야기해요!

요리를 만들며 알맞은 것에 ◯표 하고, 빈칸에 알맞은 번호를 써 보세요.

* RECIPE *
피자 만들기
준비물
밀가루, 달걀
피망, 감자, 햄
방울토마토, 치즈

피망을 (색깔 , 모양)에
따라 분류했어.

정답과 해설 **25쪽**

피자의 햄을 모양에 따라 분류해 볼까?

○	△	□

햄 중에서 가장 많은 모양은
(○ , △ , □) 모양이야.

1 형민이가 <mark>장난감을 분류</mark>하였습니다. /

잘못 분류된 상자를 찾아 /

어떤 장난감을 어느 상자로 옮겨야 하는지 써 보세요.

└─➤ 구해야 할 것

인형 상자   블록 상자   주사위 상자

문제 돋보기

✔ 형민이가 장난감을 분류한 기준은?

→ 장난감을 (종류 , 색깔)에 따라 분류했습니다.

★ 구해야 할 것은?

→ <u>　　　　어떤 장난감을 어느 상자로 옮겨야 하는지 구하기　　　　</u>

풀이 과정

❶ 잘못 분류된 상자는?

잘못 분류된 상자는 (인형 , 블록 , 주사위) 상자입니다.

❷ 어떤 장난감을 어느 상자로 옮겨야 하는지 구하면?

(인형 , 블록 , 주사위) 상자에 있는 [　　　　]을(를)

(인형 , 블록 , 주사위) 상자로 옮겨야 합니다.

답 [　　　　] 상자에 있는 [　　　　]을(를) [　　　　] 상자로

옮겨야 합니다.

정답과 해설 25쪽

 왼쪽 **❶**번과 같이 문제에 색칠하고 밑줄을 그어 가며 문제를 풀어 보세요.

1-1 영준이가 물건을 분류하였습니다. / 잘못 분류된 칸을 찾아 / 어떤 물건을 어느 칸으로 옮겨야 하는지 써 보세요.

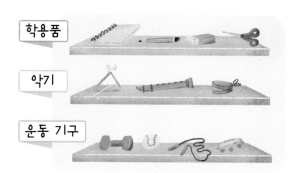

학용품

악기

운동 기구

문제 돋보기

✔ 영준이가 물건을 분류한 기준은?

→ 물건을 (모양 , 종류)에 따라 분류했습니다.

★ 구해야 할 것은?

→ _____

풀이 과정

❶ 잘못 분류된 칸은?

잘못 분류된 칸은 (학용품 , 악기 , 운동 기구) 칸입니다.

❷ 어떤 물건을 어느 칸으로 옮겨야 하는지 구하면?

(학용품 , 악기 , 운동 기구) 칸에 있는 [   ]을(를)

(학용품 , 악기 , 운동 기구) 칸으로 옮겨야 합니다.

답 [   ] 칸에 있는 [   ]을(를)

[   ] 칸으로 옮겨야 합니다.

문제가 어려웠나요?

☐ 어려워요!

☐ 적당해요 ^-^

☐ 쉬워요 >○<

2

지훈이네 반 학생들이 좋아하는 분식을 조사하였습니다. /

가장 많은 학생들이 좋아하는 분식과 /

가장 적은 학생들이 좋아하는 분식을 /

차례대로 써 보세요. ┗━ ★ 구해야 할 것

| 떡볶이 | 김밥 | 떡볶이 | 김밥 | 라면 | 떡볶이 | 김밥 | 떡볶이 |

문제 돋보기

✓ 학생들이 좋아하는 분식의 종류는? → 떡볶이, ☐ , ☐

★ 구해야 할 것은?

→ _____ 가장 많은 학생들이 좋아하는 분식과 _____

가장 적은 학생들이 좋아하는 분식 _____

풀이 과정

❶ 학생들이 좋아하는 분식을 분류하여 세어 보면?

종류	떡볶이	김밥	라면
학생 수(명)			

❷ 가장 많은 학생들이 좋아하는 분식과 가장 적은 학생들이 좋아하는 분식은?

가장 많은 학생들이 좋아하는 분식은 ☐ 이고,

가장 적은 학생들이 좋아하는 분식은 ☐ 입니다.

탑 _____ , _____

정답과 해설 26쪽

 왼쪽 ❷번과 같이 문제에 색칠하고 밑줄을 그어 가며 문제를 풀어 보세요.

2-1 일주일 동안 가게에서 팔린 우산입니다. / 가장 많이 팔린 우산과 / 가장 적게
팔린 우산은 각각 무슨 색인지 / 차례대로 써 보세요.

**문제
돋보기**

✔ 일주일 동안 가게에서 팔린 우산의 색깔은?

→ 빨간색, ☐☐☐ , ☐☐☐ , ☐☐☐

★ 구해야 할 것은?

→ _____

**풀이
과정**

❶ 가게에서 팔린 우산을 분류하여 세어 보면?

색깔	빨간색	노란색	초록색	파란색
우산의 수(개)				

❷ 가장 많이 팔린 우산과 가장 적게 팔린 우산의 색깔은?

가장 많이 팔린 우산은 ☐☐☐ 이고,

가장 적게 팔린 우산은 ☐☐☐ 입니다.

답 _____ , _____

문제가 어려웠나요?

☐ 어려워요!

☐ 적당해요 ^_^

☐ 쉬워요 >o<

 문제를 읽고 '연습하기'에서 했던 것처럼 밑줄을 그어 가며 문제를 풀어 보세요.

1 시원이가 음식을 분류하였습니다. 잘못 분류된 칸을 찾아 어떤 음식을 어느 칸으로 옮겨야 하는지 써 보세요.

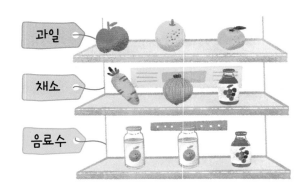

❶ 잘못 분류된 칸은?

❷ 어떤 음식을 어느 칸으로 옮겨야 하는지 구하면?

답 _____

2 하루 동안 편의점에서 팔린 아이스크림입니다. 가장 많이 팔린 아이스크림과 가장 적게 팔린 아이스크림은 각각 무슨 맛인지 차례대로 써 보세요.

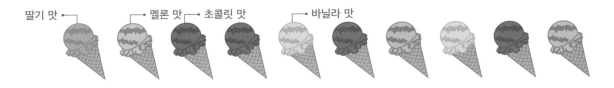

❶ 편의점에서 팔린 아이스크림을 분류하여 세어 보면?

❷ 가장 많이 팔린 아이스크림과 가장 적게 팔린 아이스크림의 맛은?

답 _____ , _____

정답과 해설 26쪽

3 윤진이가 자석을 분류하였습니다. 잘못 분류된 주머니를 찾아 어떤 자석을
어느 주머니로 옮겨야 하는지 써 보세요.

❶ 잘못 분류된 주머니는?

❷ 어떤 자석을 어느 주머니로 옮겨야 하는지 구하면?

답 _____

4 학교 체육관에 있는 공입니다. 가장 많은 공과 가장 적은 공을 차례대로 써 보세요.

❶ 학교 체육관에 있는 공을 분류하여 세어 보면?

❷ 가장 많은 공과 가장 적은 공은?

답 _____ , _____

1 빨간색이면서 점 무늬가 2개인 깃발을 / 모두 찾아 번호를 써 보세요. ──★ 구해야 할 것

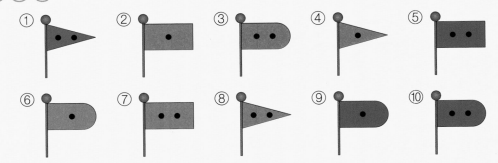

문제 돋보기

✔ 깃발을 분류할 수 있는 기준은?

→ ☐ , 점 무늬의 수, 모양

★ 구해야 할 것은?

→ 빨간색이면서 점 무늬가 2개인 깃발 모두 찾기

풀이 과정

❶ 빨간색 깃발은?

빨간색 깃발을 모두 찾아 번호를 쓰면

②, ☐, ☐, ☐, ☐, ☐ 입니다.

❷ 빨간색이면서 점 무늬가 2개인 깃발은?

위 ❶에서 찾은 깃발 중에서 점 무늬가 2개인 깃발은

③, ☐, ☐ 입니다.

답 _____

정답과 해설 27쪽

왼쪽 ❶번과 같이 문제에 색칠하고 밑줄을 그어 가며 문제를 풀어 보세요.

1-1   노란색이면서 손잡이가 2개인 바구니는 / 모두 몇 개인가요?

① ② ③ ④ ⑤ ⑥

⑦ ⑧ ⑨ ⑩ ⑪ ⑫

문제 돋보기

✔ 바구니를 분류할 수 있는 기준은?

→ 색깔, ⬚ 의 수, 바구니의 모양

★ 구해야 할 것은?

→ _____

풀이 과정

❶ 노란색 바구니는?

노란색 바구니를 모두 찾아 번호를 쓰면

⬚ , ⬚ , ⬚ , ⬚ , ⬚ 입니다.

❷ 노란색이면서 손잡이가 2개인 바구니의 수는?

위 ❶에서 찾은 바구니 중에서 손잡이가 2개인 바구니는

⬚ , ⬚ (으)로 모두 ⬚ 개입니다.

답 _____

문제가 어려웠나요?

☐ 어려워요!

☐ 적당해요 ^-^

☐ 쉬워요 >o<

두 가지 기준에 맞게 분류하여 개수 비교하기

2

미진이네 반에 있는 블록입니다. /
가장 많은 블록은 / 어떤 색깔이고 무슨 모양인가요?

└──★ 구해야 할 것

① ② ③ ④ ⑤ ⑥

⑦ ⑧ ⑨ ⑩ ⑪ ⑫

문제 돋보기

✔ 블록을 분류할 수 있는 기준은?

→ | 색깔 | , | |

★ 구해야 할 것은?

→ 가장 많은 블록의 색깔과 모양
_____

풀이 과정

❶ 블록을 색깔과 모양에 따라 분류하기

모양 \ 색깔	빨간색	초록색	파란색
삼각형	②		
사각형			
원			

❷ 가장 많은 블록의 색깔과 모양은?

가장 많은 블록은 | | 색 | | 모양입니다.

답 | | 색 | | 모양 블록

정답과 해설 27쪽

왼쪽 ❷번과 같이 문제에 색칠하고 밑줄을 그어 가며 문제를 풀어 보세요.

2-1

상준이네 집에 있는 단추입니다. / 가장 많은 단추는 / 무슨 모양이고 구멍이 몇 개인 단추인가요?

① ② ③ ④ ⑤ ⑥
⑦ ⑧ ⑨ ⑩ ⑪ ⑫

문제 돋보기

✓ 단추를 분류할 수 있는 기준은?

→ [   ] , [   ] 의 수, 색깔

★ 구해야 할 것은?

→ _____

풀이 과정

❶ 단추를 모양과 구멍의 수에 따라 분류하기

구멍의 수 \ 모양	□	◯	✿
2개			
4개			

❷ 가장 많은 단추의 모양과 구멍의 수는?

가장 많은 단추는 (□ , ◯ , ✿) 모양이고

구멍이 [   ] 개입니다.

답 (□ , ◯ , ✿) 모양이고 구멍이 [   ] 개인 단추

문제가 어려웠나요?

☐ 어려워요!

☐ 적당해요 ^_^

☐ 쉬워요 >○<

113

 문제를 읽고 '연습하기'에서 했던 것처럼 밑줄을 그어 가며 문제를 풀어 보세요.

1 파란색이면서 줄무늬가 있는 양말을 모두 찾아 번호를 써 보세요.

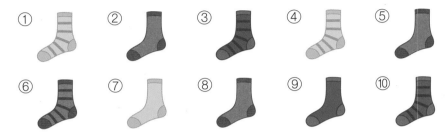

① ② ③ ④ ⑤

⑥ ⑦ ⑧ ⑨ ⑩

❶ 파란색 양말은?

❷ 파란색이면서 줄무늬가 있는 양말은?

답 _____

2 모자와 안경을 쓴 학생은 몇 명인가요?

세진   은희   영재   하영   은수   진영   혜진   상준   재학

❶ 모자를 쓴 학생은?

❷ 모자와 안경을 쓴 학생 수는?

답 _____

114

정답과 해설 28쪽

3 여러 가지 모양의 가면입니다. 가장 많은 가면은 얼굴 모양과 입 모양이 각각 어떤 모양인가요?

❶ 가면을 얼굴 모양과 입 모양에 따라 분류하기

❷ 가장 많은 가면의 얼굴 모양과 입 모양은?

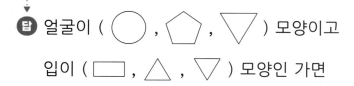

답 얼굴이 (◯ , ⬠ , ▽) 모양이고

입이 (▭ , △ , ▽) 모양인 가면

104쪽 잘못 분류된 것 찾기

1 진선이가 재활용품을 분류하였습니다. 잘못 분류된 통을 찾아 어떤 물건을 어느 통으로 옮겨야 하는지 써 보세요.

종이류 통   비닐류 통   캔류 통

풀이

답 _____

106쪽 분류하여 개수 비교하기

2 예준이네 반 학생들이 좋아하는 과일을 조사하였습니다. 가장 많은 학생들이 좋아하는 과일과 가장 적은 학생들이 좋아하는 과일을 차례대로 써 보세요.

사과	딸기	포도	수박	딸기	사과
딸기	수박	딸기	사과	사과	딸기

풀이

답 _____,_____

정답과 해설 28쪽

106쪽　분류하여 개수 비교하기

3 혜민이가 모은 붙임딱지입니다. 가장 많은 붙임딱지와 가장 적은 붙임딱지는 각각 무슨 모양인지 차례대로 써 보세요.

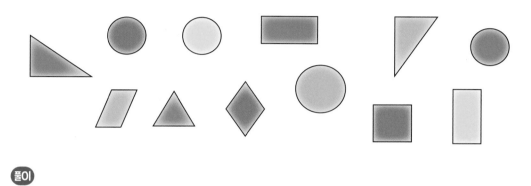

풀이

답 _____ , _____

110쪽　두 가지 분류 기준에 맞는 것 찾기

4 선경이네 반 학생들이 좋아하는 꽃을 조사하였습니다. 노란색 튤립을 좋아하는 학생은 모두 몇 명인가요?

장미　　　튤립

| 선경 | 나미 | 서진 | 진주 | 호준 | 혜주 | 영준 | 민희 |
| 진우 | 아라 | 민규 | 다솜 | 태호 | 연재 | 윤미 | 정호 |

풀이

답 _____

110쪽 두 가지 분류 기준에 맞는 것 찾기

5 파란색 버스는 모두 몇 대인가요?

풀이

답 _____

112쪽 두 가지 기준에 맞게 분류하여 개수 비교하기

6 문구점에 있는 선물 상자입니다. 가장 많은 선물 상자는 어떤 색깔이고
무슨 모양인가요?

풀이

답 [ ] 색 (▢ , ▽ , ▢) 모양 선물 상자

정답과 해설 29쪽

7

104쪽 잘못 분류된 것 찾기

지연이가 도미노 카드를 분류하였습니다. 잘못 분류된 카드에 ○표 하고,
몇 번 칸으로 옮겨야 하는지 써 보세요.

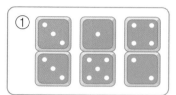 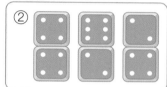 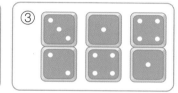

풀이

답

110쪽 두 가지 분류 기준에 맞는 것 찾기

은정이가 가지고 있는 수 카드입니다. 십의 자리 숫자가 7인 짝수 중에서
가장 큰 수는 얼마인가요?

| 216 | 37 | 174 | 392 | 578 | 317 | 475 | 72 |

❶ 수 카드의 수 중에서 십의 자리 숫자가 7인 수는?

❷ 위 ❶에서 구한 수 중에서 짝수인 수는?

❸ 위 ❷에서 구한 수 중에서 가장 큰 수는?

답

6 곱셈

내가 입은 바지를
색칠하여 꾸며 봐!

18일

· 곱셈 결과의 크기 비교하기
· 곱셈 결과의 합(차) 구하기

19일

· 수 카드로 계산 결과가
  가장 큰(작은) 곱셈식 만들기
· 상자에 수를 넣었을 때
  나오는 수 구하기

20일

단원 마무리

함께 이야기해요!

요리를 만들며 빈칸에 알맞은 수나 기호를 써 보세요.

* RECIPE *
쿠키 만들기
준비물
버터, 밀가루, 우유
초콜릿 5개
달걀 8개

MILK

FLOUR

SUGAR

정답과 해설 30쪽

초콜릿은 2개씩 3묶음이니까 모두 □개야.

2개　　2개　　2개

완성된 쿠키는 4개씩 5줄이니까

4 ◯ □ = □ (개)야.

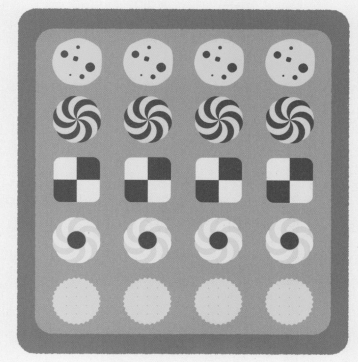

쿠키의 수는

5 ◯ □ = □ (개)로

계산할 수도 있어.

1

과일 가게에 사과가 4개씩 5줄, / 복숭아가 3개씩 6줄로 놓여 있습니다. /
사과와 복숭아 중 /
어느 것이 더 많은가요?

└→ ★ 구해야 할 것

문제 돋보기

✓ 놓여 있는 사과는? → ☐ 개씩 ☐ 줄

✓ 놓여 있는 복숭아는? → ☐ 개씩 ☐ 줄

★ 구해야 할 것은?

→ _____ 사과와 복숭아 중 더 많은 것 _____

풀이 과정

❶ 사과의 수는?

☐ 개씩 ☐ 줄 ⇨ ☐ ◯ ☐ = ☐ (개)

└→ +, −, × 중 알맞은 것 쓰기

❷ 복숭아의 수는?

☐ 개씩 ☐ 줄 ⇨ ☐ ◯ ☐ = ☐ (개)

❸ 사과와 복숭아 중 더 많은 것은?

☐ > ☐ 이므로 (사과 , 복숭아)가 더 많습니다.

답 _____

124

💡 왼쪽 **1**번과 같이 문제에 색칠하고 밑줄을 그어 가며 문제를 풀어 보세요.

1-1 빵 가게에 단팥빵이 6개씩 4상자, / 크림빵이 5개씩 5상자 있습니다. / 단팥빵과 크림빵 중 / 어느 것이 더 적은가요?

문제 돋보기

✔ 빵 가게에 있는 단팥빵은? → ☐ 개씩 ☐ 상자

✔ 빵 가게에 있는 크림빵은? → ☐ 개씩 ☐ 상자

★ 구해야 할 것은?

→ _____

풀이 과정

❶ 단팥빵의 수는?

☐ 개씩 ☐ 상자 ⇨ ☐ ◯ ☐ = ☐ (개)

❷ 크림빵의 수는?

☐ 개씩 ☐ 상자 ⇨ ☐ ◯ ☐ = ☐ (개)

❸ 단팥빵과 크림빵 중 더 적은 것은?

☐ < ☐ 이므로

(단팥빵 , 크림빵)이 더 적습니다.

문제가 어려웠나요?

☐ 어려워요!

☐ 적당해요 ^_^

☐ 쉬워요 >o<

답 _____

곱셈 결과의 합(차) 구하기

2 노란색 색종이는 / 한 묶음에 5장씩 3묶음 있고, /
파란색 색종이는 / 한 묶음에 7장씩 7묶음 있습니다. /
노란색과 파란색 색종이는 모두 몇 장인가요?

⌇ → ★ 구해야 할 것

문제 돋보기

✔ 노란색 색종이는? → ☐ 장씩 ☐ 묶음

✔ 파란색 색종이는? → ☐ 장씩 ☐ 묶음

★ 구해야 할 것은?

→ _____ 노란색과 파란색 색종이의 수의 합 _____

풀이 과정

❶ 노란색 색종이의 수는?

☐ 장씩 ☐ 묶음 ⇨ ☐ ◯ ☐ = ☐ (장)

❷ 파란색 색종이의 수는?

☐ 장씩 ☐ 묶음 ⇨ ☐ ◯ ☐ = ☐ (장)

❸ 노란색과 파란색 색종이의 수의 합은?

☐ ◯ ☐ = ☐ (장)

노란색 색종이의 수 ⌐   파란색 색종이의 수 ⌐

답 답 _____

왼쪽 **2**번과 같이 문제에 색칠하고 밑줄을 그어 가며 문제를 풀어 보세요.

2-1 현진이는 한 묶음에 9자루인 연필을 5묶음 샀고, / 한 묶음에 6자루인 사인펜을 7묶음 샀습니다. / 현진이가 산 연필은 / 사인펜보다 몇 자루 더 많은가요?

문제 돋보기

✔ 현진이가 산 연필은? → ☐ 자루씩 ☐ 묶음

✔ 현진이가 산 사인펜은? → ☐ 자루씩 ☐ 묶음

★ 구해야 할 것은?

→ _____

풀이 과정

❶ 현진이가 산 연필의 수는?

☐ 자루씩 ☐ 묶음 ⇨ ☐ ◯ ☐ = ☐ (자루)

❷ 현진이가 산 사인펜의 수는?

☐ 자루씩 ☐ 묶음 ⇨ ☐ ◯ ☐ = ☐ (자루)

❸ 현진이가 산 연필과 사인펜의 수의 차는?

☐ ◯ ☐ = ☐ (자루)

답 _____

문제가 어려웠나요?

☐ 어려워요!
☐ 적당해요 ^_^
☐ 쉬워요 >o<

 문제를 읽고 '연습하기'에서 했던 것처럼 밑줄을 그어 가며 문제를 풀어 보세요.

1 학급문고에 동화책이 6권씩 5칸, 과학책이 4권씩 7칸에 꽂혀 있습니다.
동화책과 과학책 중 어느 것이 더 많은가요?

❶ 동화책의 수는?

❷ 과학책의 수는?

❸ 동화책과 과학책 중 더 많은 것은?

답 _____

2 지민이는 한 봉지에 5개씩 들어 있는 젤리를 4봉지 샀고, 한 봉지에 8개씩 들어 있는
사탕을 3봉지 샀습니다. 젤리와 사탕 중 더 적게 산 것은 어느 것인가요?

❶ 젤리의 수는?

❷ 사탕의 수는?

❸ 젤리와 사탕 중 더 적게 산 것은?

답 _____

정답과 해설 31쪽

3 검은색 우산은 한 통에 3개씩 5통 있고, 분홍색 우산은 한 통에 7개씩 6통 있습니다. 검은색 우산은 분홍색 우산보다 몇 개 더 적은가요?

❶ 검은색 우산의 수는?

❷ 분홍색 우산의 수는?

❸ 검은색 우산과 분홍색 우산의 수의 차는?

답 _____

4 소의 다리는 4개이고, 닭의 다리는 2개입니다. 농장에 소가 8마리 있고, 닭이 4마리 있습니다. 농장에 있는 소와 닭의 다리는 모두 몇 개인가요?

❶ 소 8마리의 다리 수는?

❷ 닭 4마리의 다리 수는?

❸ 농장에 있는 소와 닭의 다리 수의 합은?

답 _____

수 카드로 계산 결과가 가장 큰(작은) 곱셈식 만들기

1 3장의 수 카드 [1], [4], [7] 중에서 **2장을 뽑아** /

한 번씩만 사용하여 **곱셈식**을 만들려고 합니다. /

만들 수 있는 곱셈식 중 /

계산 결과가 가장 클 때의 값을 / 구해 보세요.

└─→ ★ 구해야 할 것

문제 돋보기

✔ 수 카드를 이용하여 만들려는 식은?

→ (한 자리 수) ◯ (한 자리 수)

★ 구해야 할 것은?

→ _____ 곱셈식의 계산 결과가 가장 클 때의 값 _____

풀이 과정

❶ 곱셈식의 계산 결과가 가장 크려면?

가장 (큰 , 작은) 수와 둘째로 (큰 , 작은) 수를 곱합니다.

❷ 수 카드의 수의 크기를 비교하면?

[ ] > [ ] > [ ] 이므로

가장 큰 수는 [ ] 이고, 둘째로 큰 수는 [ ] 입니다.

❸ 곱셈식의 계산 결과가 가장 클 때의 값은?

[ ] ◯ [ ] = [ ]

가장 큰 수 ─┘ └─ 둘째로 큰 수

답 _____

정답과 해설 32쪽

 왼쪽 ❶번과 같이 문제에 색칠하고 밑줄을 그어 가며 문제를 풀어 보세요.

1-1 4장의 수 카드 [6] , [2] , [9] , [7] 중에서 2장을 뽑아 / 한 번씩만

사용하여 곱셈식을 만들려고 합니다. / 만들 수 있는 곱셈식 중 / 계산 결과가

가장 작을 때의 값을 / 구해 보세요.

문제 돋보기

✔ 수 카드를 이용하여 만들려는 식은?

→ (한 자리 수) ◯ (한 자리 수)

★ 구해야 할 것은?

→ _____

풀이 과정

❶ 곱셈식의 계산 결과가 가장 작으려면?

가장 (큰 , 작은) 수와 둘째로 (큰 , 작은) 수를 곱합니다.

❷ 수 카드의 수의 크기를 비교하면?

☐ < ☐ < ☐ < ☐ 이므로

가장 작은 수는 ☐ 이고, 둘째로 작은 수는 ☐ 입니다.

❸ 곱셈식의 계산 결과가 가장 작을 때의 값은?

☐ ◯ ☐ = ☐

문제가 어려웠나요?

☐ 어려워요!

☐ 적당해요 ^_^

☐ 쉬워요 >o<

답 _____

131

2

다음과 같이 **어떤 수를 넣으면** /

▲배가 되어 나오는 상자가 있습니다. /

이 상자에 **3을 넣었더니 6이 나왔습니다.** /

4를 넣으면 얼마가 나오는지 구해 보세요.

└─ ★ 구해야 할 것

$3 \rightarrow$ [× ▲] $\rightarrow 6$ $\qquad$ $4 \rightarrow$ [× ▲] $\rightarrow$?

문제
돋보기

✓ 어떤 수의 ▲배를 식으로 나타내면?

→ (어떤 수) ◯ ▲

✓ 상자에 3을 넣었더니 6이 나오는 것을 식으로 나타내면?

→ 3 ◯ ▲ = ☐

★ 구해야 할 것은?

→ ___상자에 4를 넣으면 나오는 수___

풀이
과정

❶ ▲의 값은?

$3 \times$ ☐ $= 6$이므로 ▲ = ☐ 입니다.

❷ 상자에 4를 넣으면 나오는 수는?

4 ◯ ☐ = ☐

답 _____

132

정답과 해설 32쪽

왼쪽 ❷번과 같이 문제에 색칠하고 밑줄을 그어 가며 문제를 풀어 보세요.

2-1 다음과 같이 어떤 수를 넣으면 / ◆배가 되어 나오는 상자가 있습니다. / 이 상자에 5를 넣었더니 15가 나왔습니다. / 9를 넣으면 얼마가 나오는지 구해 보세요.

$$5 \rightarrow \boxed{\times ◆} \rightarrow 15 \qquad 9 \rightarrow \boxed{\times ◆} \rightarrow \ ?$$

문제 돋보기

✔ 어떤 수의 ◆배를 식으로 나타내면?

→ (어떤 수) ◯ ◆

✔ 상자에 5를 넣었더니 15이 나오는 것을 식으로 나타내면?

→ 5 ◯ ◆ = □

★ 구해야 할 것은?

→ _____

풀이 과정

❶ ◆의 값은?

5 × □ = 15이므로 ◆ = □ 입니다.

❷ 상자에 9를 넣으면 나오는 수는?

9 ◯ □ = □

답 _____

 문제를 읽고 '연습하기'에서 했던 것처럼 밑줄을 그어 가며 문제를 풀어 보세요.

1 3장의 수 카드 4 , 9 , 2 중에서 2장을 뽑아 한 번씩만 사용하여 곱셈식을

만들려고 합니다. 만들 수 있는 곱셈식 중 계산 결과가 가장 클 때의 값을 구해 보세요.

❶ 곱셈식의 계산 결과가 가장 크려면?

❷ 수 카드의 수의 크기를 비교하면?

❸ 곱셈식의 계산 결과가 가장 클 때의 값은?

답 _____

2 4장의 수 카드 8 , 6 , 3 , 7 중에서 2장을 뽑아 한 번씩만 사용하여

곱셈식을 만들려고 합니다. 만들 수 있는 곱셈식 중 계산 결과가 가장 작을 때의 값을
구해 보세요.

❶ 곱셈식의 계산 결과가 가장 작으려면?

❷ 수 카드의 수의 크기를 비교하면?

❸ 곱셈식의 계산 결과가 가장 작을 때의 값은?

답 _____

3　다음과 같이 어떤 수를 넣으면 ♥배가 되어 나오는 상자가 있습니다. 이 상자에
4를 넣었더니 16이 나왔습니다. 5를 넣으면 얼마가 나오는지 구해 보세요.

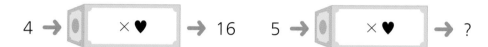

❶ ♥의 값은?

❷ 상자에 5를 넣으면 나오는 수는?

답 _____

4　다음과 같이 어떤 수를 넣으면 ♣배가 되어 나오는 상자가 있습니다. 이 상자에
3을 넣었더니 21이 나왔습니다. 8을 넣으면 얼마가 나오는지 구해 보세요.

3 → ×♣ → 21　　8 → ×♣ → ?

❶ ♣의 값은?

❷ 상자에 8을 넣으면 나오는 수는?

답 _____

124쪽 곱셈 결과의 크기 비교하기

1 장미가 4송이씩 9묶음, 튤립이 8송이씩 5묶음 있습니다. 장미와 튤립 중 어느 것이 더 적은가요?

풀이

답 _____

126쪽 곱셈 결과의 합(차) 구하기

2 운동장에 남학생이 2명씩 7줄로 서 있고, 여학생이 4명씩 3줄로 서 있습니다. 운동장에 서 있는 남학생은 여학생보다 몇 명 더 많은가요?

풀이

답 _____

124쪽 곱셈 결과의 크기 비교하기

3 로봇을 우재는 하루에 3개씩 3일 동안 조립했고, 성주는 하루에 2개씩 5일 동안 조립했습니다. 우재와 성주 중 로봇을 더 많이 조립한 사람은 누구인가요?

풀이

답 _____

124쪽 곱셈 결과의 크기 비교하기

4 은미와 철희 중 귤을 더 적게 딴 사람은 누구인가요?

나는 귤을 8개씩
7봉지 땄어.

은미

나는 귤을 9개씩
6봉지 땄어.

철희

풀이

답 _____

126쪽 곱셈 결과의 합(차) 구하기

5 꿀벌의 다리는 6개이고, 거미의 다리는 8개입니다. 나무에 꿀벌 6마리와
거미 2마리가 있습니다. 나무에 있는 꿀벌과 거미의 다리는 모두 몇
개인가요?

풀이

답 _____

130쪽 수 카드로 계산 결과가 가장 큰(작은) 곱셈식 만들기

6 3장의 수 카드 1 , 6 , 8 중에서 2장을 뽑아 한 번씩만 사용하여 곱셈식을 만들려고 합니다. 만들 수 있는 곱셈식 중 계산 결과가 가장 클 때의 값을 구해 보세요.

풀이

답 _____

126쪽 곱셈 결과의 합(차) 구하기

7 5명이 가위바위보를 하고 있습니다. 3명은 가위를 냈고, 2명은 보를 냈을 때, 5명이 펼친 손가락은 모두 몇 개인가요?

풀이

답 _____

130쪽 수 카드로 계산 결과가 가장 큰(작은) 곱셈식 만들기

8 4장의 수 카드 3 , 5 , 7 , 4 중에서 2장을 뽑아 한 번씩만 사용하여 곱셈식을 만들려고 합니다. 만들 수 있는 곱셈식 중 계산 결과가 가장 작을 때의 값을 구해 보세요.

풀이

답 _____

132쪽 상자에 수를 넣었을 때 나오는 수 구하기

9

다음과 같이 어떤 수를 넣으면 ◆배가 되어 나오는 상자가 있습니다.
이 상자에 6을 넣었더니 48이 나왔습니다. 9를 넣으면 얼마가 나오는지
구해 보세요.

풀이

답 _____

도전문제 10

132쪽 상자에 수를 넣었을 때 나오는 수 구하기

다음과 같이 어떤 수를 넣으면 ♣배가 되어 나오는 상자가 있습니다.
이 상자에 2를 넣었더니 10이 나왔고, ●를 넣었더니 15가 나왔습니다.
●에 알맞은 수를 구해 보세요.

❶ ♣의 값은?

❷ ●에 알맞은 수는?

답 _____

1 시우는 100원짜리 동전 3개와 10원짜리 동전 7개를 가지고 있었습니다.
어머니께서 시우에게 400원을 주셨다면 지금 시우가 가지고 있는 돈은
모두 얼마인가요?

풀이

답 _____

2 정원에 장미가 37송이 피어 있고, 튤립은 장미보다 12송이 더 많이 피어
있습니다. 정원에 피어 있는 장미와 튤립은 모두 몇 송이인가요?

풀이

답 _____

3 진영이의 키를 연필, 붓, 칫솔을 이용하여 각각 재어 보았더니 잰 횟수가
연필로 10번, 붓으로 6번, 칫솔로 8번이었습니다. 길이가 가장 짧은
물건은 무엇인가요?

풀이

답 _____

정답과 해설 35쪽

4 삼각형, 사각형을 사용하여 만든 백조 모양입니다. 백조 모양을 만드는 데 더 적게 사용한 도형은 무엇인지 쓰고, 그 도형의 꼭짓점의 수를 구해 보세요.

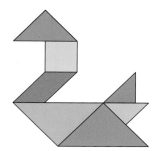

풀이

답 _____ , _____

5 세 수를 빈칸에 써넣어 계산 결과가 가장 큰 세 수의 계산식을 만들려고 합니다. 계산 결과가 가장 큰 세 수의 계산식을 쓰고 계산해 보세요.

(21) (72) (16) ☐ + ☐ − ☐

풀이

답 _____

6 파란색 별을 모두 찾아 번호를 써 보세요.

풀이

답 _____

7 다현이는 팥 붕어빵을 3개씩 5봉지, 슈크림 붕어빵을 2개씩 6봉지 샀습니다. 팥 붕어빵과 슈크림 붕어빵 중 더 많이 산 것은 어느 것인가요?

풀이

답 _____

8 3장의 수 카드 2 , 5 , 9 중에서 2장을 뽑아 한 번씩만 사용하여 곱셈식을 만들려고 합니다. 만들 수 있는 곱셈식 중 계산 결과가 가장 클 때의 값을 구해 보세요.

풀이

답 _____

9 나에 대한 설명을 읽고 나는 어떤 수인지 구해 보세요.

> • 나는 세 자리 수입니다.
> • 백의 자리 숫자는 6보다 크고 9보다 작은 짝수입니다.
> • 십의 자리 숫자는 50을 나타냅니다.
> • 일의 자리 숫자는 백의 자리 숫자와 십의 자리 숫자의 차입니다.

 풀이

답 _____

10 수 카드 [1] , [7] , [9] 중에서 2장을 골라 두 자리 수를 만들어

86에서 빼려고 합니다. 계산 결과가 가장 큰 수가 되는 뺄셈식을 쓰고

계산해 보세요.

풀이

답 _____

1 백 모형 1개, 십 모형 1개, 일 모형 3개가 있습니다.
수 모형 5개 중에서 3개를 사용하여 나타낼 수 있는
세 자리 수는 모두 몇 개인가요?

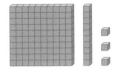

풀이

답 _____

2 주머니에 구슬이 들어 있습니다. 형원이가 구슬 7개를 동생에게 주었더니
25개가 남았습니다. 처음 주머니에 들어 있던 구슬은 몇 개인가요?

풀이

답 _____

3 ㉠과 ㉡ 중 쌓기나무를 더 많이 사용한 것은 어느 것인가요?

㉠  ㉡

풀이

답 _____

4 가장 작은 사각형의 변의 길이는 모두 1 cm입니다. 그림에서 빨간색 선은
토끼가 움직인 거리를 나타낼 때, 토끼가 움직인 거리는 몇 cm인가요?

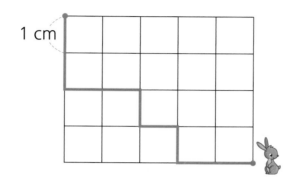

1 cm

풀이

답 _____

5 유림이가 학용품을 분류하였습니다. 잘못 분류된 통을 찾아 어떤 학용품을
어느 통으로 옮겨야 하는지 써 보세요.

연필 통　　　　　공책 통　　　　지우개 통

풀이

답 _____

6 식탁에 참치 김밥이 8개씩 2접시 있고, 돈가스 김밥이 5개씩 4접시 있습니다. 식탁에 있는 김밥은 모두 몇 개인가요?

풀이

답 _____

7 어떤 수에 17을 더해야 할 것을 잘못하여 뺐더니 65가 되었습니다. 바르게 계산한 값은 얼마인가요?

풀이

답 _____

8 윤진이는 두 자리 수가 적힌 공을 2개 가지고 있습니다. 공에 적힌 두 수의 합은 67이고, 두 수의 차는 11입니다. 윤진이가 가지고 있는 공에 적힌 두 수는 각각 얼마인가요?

풀이

답 _____ , _____

9　길이가 3 cm, 8 cm인 색 막대가 각각 한 개씩 있습니다. 두 색 막대를
이어 붙이거나 겹쳐서 잴 수 있는 길이를 모두 구해 보세요.

3 cm　　　　　　　　8 cm

풀이

답　＿＿＿＿＿＿＿＿＿, ＿＿＿＿＿＿＿＿＿

10　다음과 같이 어떤 수를 넣으면 ♥배가 되어 나오는 상자가 있습니다.
이 상자에 8을 넣었더니 24가 나왔습니다. 7을 넣으면 얼마가 나오는지
구해 보세요.

풀이

답　＿＿＿＿＿＿＿＿＿

1 기현이는 320원짜리 지우개를 한 개 사려고 합니다. 지우개 값에 꼭 맞게 100원, 50원, 10원짜리 동전을 적어도 1개씩 포함하여 낼 수 있는 방법은 모두 몇 가지인가요?

풀이

답 _____

2 오른쪽 도형에서 찾을 수 있는 크고 작은 사각형은 모두 몇 개인가요?

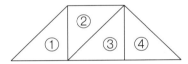

풀이

답 _____

3 줄넘기의 길이는 길이가 20 cm인 신발로 5번 잰 것과 같습니다. 이 줄넘기의 길이는 길이가 10 cm인 연필로 몇 번 잰 것과 같은가요?

풀이

답 _____

4 어느 과일 가게에서 하루 동안 팔린 과일입니다. 가장 많이 팔린 과일과 가장 적게 팔린 과일을 차례대로 써 보세요.

풀이

답 _____ , _____

5 쌓기나무로 다음과 같은 모양을 각각 한 개씩 만들었습니다. 쌓기나무가 10개 있었다면 모양을 만들고 남은 쌓기나무는 몇 개인가요?

풀이

답 _____

6 문구점에서 연필을 어제 33자루, 오늘 29자루 팔았고, 볼펜을
어제 21자루, 오늘 45자루 팔았습니다. 연필과 볼펜 중에서
이틀 동안 더 많이 팔린 학용품은 무엇인가요?

풀이

답 _____

7 농장에 사과나무가 5그루씩 4줄, 감나무가 4그루씩 6줄로 심어져
있습니다. 사과나무와 감나무 중 더 많은 나무는 무엇인가요?

풀이

답 _____

8 네 수 중에서 세 수를 빈칸에 써넣어 계산 결과가 가장 큰 세 수의
계산식을 만들려고 합니다. 계산 결과가 가장 큰 세 수의 계산식을 쓰고
계산해 보세요.

49 81 37 52   ☐ − ☐ + ☐

풀이

답 _____

정답과 해설 37쪽

9 어느 공원에 있는 자전거입니다. 가장 많은 자전거는 바퀴가 몇 개인 어떤 색깔인가요?

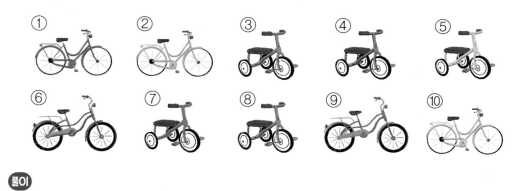

풀이

📝 바퀴가 [　] 개인 (빨간색 , 노란색 , 파란색) 자전거

10 수 카드 `1` , `2` , `5` , `9` 를 한 번씩 모두 사용하여 (두 자리 수)＋(두 자리 수)를 만들려고 합니다. 합이 가장 큰 덧셈식을 쓰고 계산해 보세요.

풀이

📝 _____

MEMO

공부로 이끄는 힘

완자 **공부력**

정답과 해설

교과서 문해력
수학 문장제 | **발전**

정답과 해설
QR코드

2A
2학년

 **책 속의 가접 별책** (특허 제 0557442호)

'정답과 해설'은 진도책에서 쉽게 분리할 수 있도록 제작되었으므로
유통 과정에서 분리될 수 있으나 파본이 아닌 정상 제품입니다.

visang

ABOVE IMAGINATION

우리는 남다른 상상과 혁신으로
교육 문화의 새로운 전형을 만들어
모든 이의 행복한 경험과 성장에 기여한다

공부로 이기는 힘

완자 공부력

교과서 문해력

수학 문장제 발전 2A

<정답과 해설>

1. 세 자리 수

문장제 준비하기

함께 이야기해요!
요리를 만들며 빈칸에 알맞은 수나 말을 써 보세요.

100개

Chocolate 10개   Chocolate 10개

초콜릿은 100개씩 1봉지,
10개씩 2봉지니까

모두 120 개야!

* RECIPE *
머핀 만들기
준비물
달걀 4개, 체리 2개
버터 2개, 초콜릿 5개

블루베리 머핀을 100개, 초콜릿 머핀을
120개 만들었어. 100 < 120이니까

블루베리 머핀보다

초콜릿 머핀을 더 많이 만들었어.

10개   10봉지

블루베리가 10개씩 10봉지니까

모두 100 개야!

1일 문장제 연습하기   모두 얼마인지 구하기

공부한 날   월   일

1. 세 자리 수

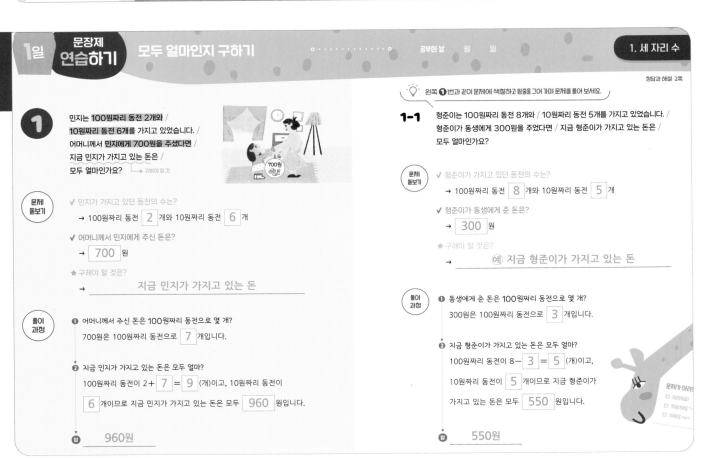

왼쪽 ❶번과 같이 문제에 색칠하고 밑줄을 그어 가며 문제를 풀어 보세요.

①

민지는 100원짜리 동전 2개와 /
10원짜리 동전 6개를 가지고 있었습니다. /
어머니께서 민지에게 700원을 주셨다면 /
지금 민지가 가지고 있는 돈은 /
모두 얼마인가요? → 구해야 할 것

700원

문제 돌보기

✓ 민지가 가지고 있던 동전의 수는?
→ 100원짜리 동전 2 개와 10원짜리 동전 6 개

✓ 어머니께서 민지에게 주신 돈은?
→ 700 원

★ 구해야 할 것은?
→ 지금 민지가 가지고 있는 돈

풀이 과정

❶ 어머니께서 주신 돈은 100원짜리 동전으로 몇 개?
700원은 100원짜리 동전으로 7 개입니다.

❷ 지금 민지가 가지고 있는 돈은 모두 얼마?
100원짜리 동전이 2+ 7 = 9 (개)이고, 10원짜리 동전이
6 개이므로 지금 민지가 가지고 있는 돈은 모두 960 원입니다.

답 960원

1-1

형준이는 100원짜리 동전 8개와 / 10원짜리 동전 5개를 가지고 있었습니다. /
형준이가 동생에게 300원을 주었다면 / 지금 형준이가 가지고 있는 돈은 /
모두 얼마인가요?

문제 돌보기

✓ 형준이가 가지고 있던 동전의 수는?
→ 100원짜리 동전 8 개와 10원짜리 동전 5 개

✓ 형준이가 동생에게 준 돈은?
→ 300 원

★ 구해야 할 것은? 예 지금 형준이가 가지고 있는 돈
→

풀이 과정

❶ 동생에게 준 돈은 100원짜리 동전으로 몇 개?
300원은 100원짜리 동전으로 3 개입니다.

❷ 지금 형준이가 가지고 있는 돈은 모두 얼마?
100원짜리 동전이 8- 3 = 5 (개)이고,
10원짜리 동전이 5 개이므로 지금 형준이가
가지고 있는 돈은 모두 550 원입니다.

답 550원

문제가 어려워
□ 어려워!
□ 적당해~
□ 어워~

정답과 해설 3쪽

② 백 모형 2개, 십 모형 1개, 일 모형 1개가 있습니다. / 수 모형 4개 중에서 3개를 사용하여 / 나타낼 수 있는 세 자리 수는 / 모두 몇 개인가요? → 구해야 할 것

문제 돋보기

★ 구해야 할 것은?
→ 수 모형 3개를 사용하여 나타낼 수 있는 세 자리 수의 개수

✔ 수 모형은? → 백 모형 **2**개, 십 모형 **1**개, 일 모형 **1**개

✔ 백 모형, 십 모형, 일 모형 중 반드시 포함해야 하는 수 모형은?
→ 세 자리 수를 나타내야 하므로 수 모형 중 (백, 십 , 일) 모형을 반드시 포함해야 합니다. 알맞은 말에 ○표 하기

풀이 과정

❶ 수 모형 3개를 사용하여 나타낼 수 있는 세 자리 수를 모두 구하면?

백 모형	십 모형	일 모형		세 자리 수
2개	1개	0개	⇨	210
2개	0개	1개	⇨	201
1개	1개	1개	⇨	111

❷ 나타낼 수 있는 세 자리 수는 모두 몇 개?
나타낼 수 있는 세 자리 수는 모두 **3** 개입니다.

답 ___3개___

💡 왼쪽 ❷번과 같이 문제에 색칠하고 밑줄을 그어 가며 문제를 풀어 보세요.

2-1 백 모형 1개, 십 모형 2개, 일 모형 2개가 있습니다. / 수 모형 5개 중에서 3개를 사용하여 / 나타낼 수 있는 세 자리 수는 / 모두 몇 개인가요?

문제 돋보기

★ 구해야 할 것은? 예 수 모형 3개를 사용하여 나타낼 수 있는 세 자리 수의 개수

✔ 수 모형은? → 백 모형 **1**개, 십 모형 **2**개, 일 모형 **2**개

✔ 백 모형, 십 모형, 일 모형 중 반드시 포함해야 하는 모형은?
→ 세 자리 수를 나타내야 하므로 수 모형 중 (백, 십 , 일) 모형을 반드시 포함해야 합니다.

풀이 과정

❶ 수 모형 3개를 사용하여 나타낼 수 있는 세 자리 수를 모두 구하면?

백 모형	십 모형	일 모형		세 자리 수
1개	2개	0개	⇨	120
1개	1개	1개	⇨	111
1개	0개	2개	⇨	102

❷ 나타낼 수 있는 세 자리 수는 모두 몇 개?
나타낼 수 있는 세 자리 수는 모두 **3** 개입니다.

답 ___3개___

문제가 어려...
□ 어려워요
□ 적당해요
□ 쉬워요

정답과 해설 3쪽

💡 문제를 읽고 '연습하기'에서 했던 것처럼 밑줄을 그어 가며 문제를 풀어 보세요.

1 유진이는 100원짜리 동전 3개와 10원짜리 동전 2개를 가지고 있었습니다. 아버지께서 유진이에게 500원을 주셨다면 지금 유진이가 가지고 있는 돈은 모두 얼마인가요?

❶ 아버지께서 주신 돈은 100원짜리 동전으로 몇 개?
예 500원은 100원짜리 동전으로 5개입니다.

❷ 지금 유진이가 가지고 있는 돈은 모두 얼마?
예 100원짜리 동전이 3+5=8(개)이고, 10원짜리 동전이 2개이므로 지금 유진이가 가지고 있는 돈은 모두 820원입니다.

답 ___820원___

2 진수는 100원짜리 동전 6개와 10원짜리 동전 9개를 가지고 있었습니다. 진수가 동생에게 400원을 주었다면 지금 진수가 가지고 있는 돈은 모두 얼마인가요?

❶ 동생에게 준 돈은 100원짜리 동전으로 몇 개?
예 400원은 100원짜리 동전으로 4개입니다.

❷ 지금 진수가 가지고 있는 돈은 모두 얼마?
예 100원짜리 동전이 6-4=2(개)이고, 10원짜리 동전이 9개이므로 지금 진수가 가지고 있는 돈은 모두 290원입니다.

답 ___290원___

3 백 모형 1개, 십 모형 3개, 일 모형 4개가 있습니다. 수 모형 8개 중에서 3개를 사용하여 나타낼 수 있는 세 자리 수는 모두 몇 개인가요?

❶ 수 모형 3개를 사용하여 나타낼 수 있는 세 자리 수를 모두 구하면?

예
백 모형	십 모형	일 모형		세 자리 수
1개	2개	0개	⇨	120
1개	1개	1개	⇨	111
1개	0개	2개	⇨	102

❷ 나타낼 수 있는 세 자리 수는 모두 몇 개?
예 위 ❶에서 나타낼 수 있는 세 자리 수는 모두 3개입니다.

답 ___3개___

4 100원짜리 동전 1개, 10원짜리 동전 5개, 1원짜리 동전 2개가 있습니다. 동전 8개 중에서 4개를 사용하여 나타낼 수 있는 세 자리 수는 모두 몇 개인가요?

❶ 동전 4개를 사용하여 나타낼 수 있는 세 자리 수를 모두 구하면?

예
100원짜리 동전	10원짜리 동전	1원짜리 동전		세 자리 수
1개	3개	0개	⇨	130
1개	2개	1개	⇨	121
1개	1개	2개	⇨	112

❷ 나타낼 수 있는 세 자리 수는 모두 몇 개?
예 위 ❶에서 나타낼 수 있는 세 자리 수는 모두 3개입니다.

답 ___3개___

2일 문장제 **연습**하기 · 조건에 알맞은 수 구하기 · 공부한 날   월   일 · **1. 세 자리 수**

정답과 해설 4쪽

1

세명이가 타는 버스의 번호는 /
백의 자리 숫자가 2보다 크고 /
4보다 작은 세 자리 수입니다. /
십의 자리 숫자는 50을 나타내고, /
일의 자리 숫자와 백의 자리 숫자의 합이 5일 때, /
세명이가 타는 버스의 번호는 몇 번인가요?

└→ 구해야 할 것

문제 돋보기

✔ 백의 자리 숫자는? → 2 보다 크고 4 보다 작은 수

✔ 십의 자리 숫자가 나타내는 수는? → 50

✔ 일의 자리 숫자와 백의 자리 숫자의 합은? → 5

★ 구해야 할 것은?

→ 세명이가 타는 버스의 번호

풀이 과정

❶ 백, 십, 일의 자리 숫자를 각각 구하면?
백의 자리 숫자는 3 , 십의 자리 숫자는 5 입니다.
(일의 자리 숫자) + 3 = 5이므로 일의 자리 숫자는 2 입니다.
└→ 백의 자리 숫자

❷ 세명이가 타는 버스의 번호는?
세명이가 타는 버스의 번호는 352 번입니다.

답 352번

💡 왼쪽 **❶**번과 같이 문제에 색칠하고 밑줄을 그어 가며 문제를 풀어 보세요.

1-1

영진이는 줄넘기를 했습니다. / 영진이가 한 줄넘기 횟수는 268보다 크고 /
280보다 작은 수 중에서 / 십의 자리 숫자와 일의 자리 숫자가 같은 수입니다. /
영진이가 한 줄넘기 횟수는 몇 번인가요?

문제 돋보기

✔ 영진이가 한 줄넘기 횟수는?
→ 268 보다 크고 280 보다 작은 수

✔ 십의 자리 숫자와 일의 자리 숫자는?
→ 십의 자리 숫자와 일의 자리 숫자가 (같습니다 , 다릅니다).

★ 구해야 할 것은?
→ (예) 영진이가 한 줄넘기 횟수

풀이 과정

❶ 백, 십, 일의 자리 숫자를 각각 구하면?
268 보다 크고 280 보다 작은 수이므로
백의 자리 숫자는 2 입니다.
십의 자리 숫자와 일의 자리 숫자가 같으므로
십의 자리 숫자는 7 , 일의 자리 숫자는 7 입니다.

❷ 영진이가 한 줄넘기 횟수는?
영진이가 한 줄넘기 횟수는 277 번입니다.

답 277번

문제가 어려
☐ 어려워요
☐ 적당해요
☐ 쉬워요

문장제 **연습**하기 · 가격에 맞게 동전을 낼 수 있는 방법의 수 구하기 · **1. 세 자리 수**

정답과 해설 4쪽

2

현주는 280원짜리 연필을 한 자루 사려고 합니다. /
연필 값에 꼭 맞게 /
100원, 50원, 10원짜리 동전을 /
적어도 1개씩 포함하여 /
낼 수 있는 방법은 모두 몇 가지인가요?

└→ 구해야 할 것

문제 돋보기

✔ 100원, 50원, 10원짜리 동전을 모아서 내야 하는 금액은?
→ 280 원

★ 구해야 할 것은?
→ 연필 값을 낼 수 있는 방법의 수

풀이 과정

❶ 100원, 50원, 10원짜리 동전을 적어도 1개씩 포함하여 280원을 만들 수 있는 방법을 모두 찾으면?

	방법1	방법2	방법3	방법4
100원	2개	1개	1개	1개
50원	1개	3개	2개	1개
10원	3개	3개	8개	13개

❷ 연필 값을 낼 수 있는 방법의 수는?
연필 값을 낼 수 있는 방법은 모두 4 가지입니다.

답 4가지

💡 왼쪽 **❷**번과 같이 문제에 색칠하고 밑줄을 그어 가며 문제를 풀어 보세요.

2-1

세훈이는 950원짜리 과자를 한 봉지 사려고
합니다. / 과자 값에 꼭 맞게 / 500원, 100원,
50원짜리 동전을 / 적어도 1개씩 포함하여 /
낼 수 있는 방법은 모두 몇 가지인가요?

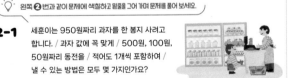

문제 돋보기

✔ 500원, 100원, 50원짜리 동전을 모아서 내야 하는 금액은?
→ 950 원

★ 구해야 할 것은? (예) 과자 값을 낼 수 있는 방법의 수
→

풀이 과정

❶ 500원, 100원, 50원짜리 동전을 적어도 1개씩 포함하여 950원을 만들 수 있는 방법을 모두 찾으면?

	방법1	방법2	방법3	방법4
500원	1개	1개	1개	1개
100원	4개	3개	2개	1개
50원	1개	3개	5개	7개

❷ 과자 값을 낼 수 있는 방법의 수는?
과자 값을 낼 수 있는 방법은 모두 4 가지입니다.

답 4가지

문제가 어려
☐ 어려워요
☐ 적당해요
☐ 쉬워요

문장제 실력쌓기
◆ 조건에 알맞은 수 구하기
◆ 가격에 맞게 동전을 낼 수 있는 방법의 수 구하기

1. 세 자리 수

22쪽 • 23쪽

정답과 해설 5쪽

💡 문제를 읽고 '연습하기'에서 했던 것처럼 밑줄을 그어 가며 문제를 풀어 보세요.

1 어떤 수는 백의 자리 숫자가 3보다 크고 5보다 작은 세 자리 수입니다. 십의 자리 숫자는 60을 나타내고, 일의 자리 숫자와 십의 자리 숫자의 합이 9일 때, 어떤 수를 구해 보세요.

❶ 백, 십, 일의 자리 숫자를 각각 구하면?
예) 백의 자리 숫자는 4, 십의 자리 숫자는 6입니다.
(일의 자리 숫자)+6=9이므로 일의 자리 숫자는 3입니다.

❷ 어떤 수는?
예) 어떤 수는 463입니다.

답 ____463____

2 준석이는 750원짜리 아이스크림을 한 개 사려고 합니다. 아이스크림 값에 꼭 맞게 500원, 100원, 50원짜리 동전을 적어도 1개씩 포함하여 낼 수 있는 방법은 모두 몇 가지인가요?

❶ 500원, 100원, 50원짜리 동전을 적어도 1개씩 포함하여 750원을 만들 수 있는 방법을 모두 찾으면?

예)	방법1	방법2
500원	1개	1개
100원	2개	1개
50원	1개	3개

❷ 아이스크림 값을 낼 수 있는 방법의 수는?
예) 아이스크림 값을 낼 수 있는 방법은 모두 2가지입니다.

답 ____2가지____

3 은정이는 300원짜리 사탕을 한 개 사려고 합니다. 사탕 값에 꼭 맞게 100원, 50원, 10원짜리 동전을 적어도 1개씩 포함하여 낼 수 있는 방법은 모두 몇 가지인가요?

❶ 100원, 50원, 10원짜리 동전을 적어도 1개씩 포함하여 300원을 만들 수 있는 방법을 모두 찾으면?

예)	방법1	방법2	방법3	방법4
100원	2개	1개	1개	1개
50원	1개	3개	2개	1개
10원	5개	5개	10개	15개

❷ 사탕 값을 낼 수 있는 방법의 수는?
예) 사탕 값을 낼 수 있는 방법은 모두 4가지입니다.

답 ____4가지____

4 나에 대한 설명을 읽고 나는 어떤 수인지 구해 보세요.

• 나는 720보다 크고 740보다 작은 세 자리 수입니다.
• 나는 십의 자리 숫자와 일의 자리 숫자가 같습니다.
• 백의 자리 숫자와 일의 자리 숫자의 합은 9입니다.

❶ 백, 십, 일의 자리 숫자를 각각 구하면?
예) 백의 자리 숫자는 7입니다.
7+(일의 자리 숫자)=9이므로 일의 자리 숫자는 2입니다.
십의 자리 숫자와 일의 자리 숫자가 같으므로 십의 자리 숫자는 2입니다.

❷ 나는 어떤 수인지 구하면?
예) 나는 722입니다.

답 ____722____

---

1 [12쪽] 모두 얼마인지 구하기
선재는 100원짜리 동전 5개와 10원짜리 동전 1개를 가지고 있었습니다. 인수가 선재에게 200원을 주었다면 지금 선재가 가지고 있는 돈은 모두 얼마인가요?

풀이 예) 200원은 100원짜리 동전으로 2개입니다.
100원짜리 동전이 5+2=7(개)이고, 10원짜리 동전이 1개이므로 지금 선재가 가지고 있는 돈은 모두 710원입니다.

답 ____710원____

2 [14쪽] 나타낼 수 있는 세 자리 수 구하기
백 모형 1개, 십 모형 4개, 일 모형 2개가 있습니다. 수 모형 7개 중에서 3개를 사용하여 나타낼 수 있는 세 자리 수를 모두 써 보세요.

풀이 예)

백 모형	십 모형	일 모형		세 자리 수
1개	2개	0개	⇨	120
1개	1개	1개	⇨	111
1개	0개	2개	⇨	102

따라서 나타낼 수 있는 세 자리 수는 120, 111, 102입니다.

답 ____120, 111, 102____

3 [18쪽] 조건에 알맞은 수 구하기
어떤 수는 백의 자리 숫자가 1보다 크고 3보다 작은 세 자리 수입니다. 십의 자리 숫자는 40을 나타내고, 일의 자리 숫자와 백의 자리 숫자의 합이 3일 때, 어떤 수를 구해 보세요.

풀이 예) 백의 자리 숫자는 2, 십의 자리 숫자는 4입니다.
(일의 자리 숫자)+2=3이므로 일의 자리 숫자는 1입니다.
따라서 어떤 수는 241입니다.

답 ____241____

4 [14쪽] 나타낼 수 있는 세 자리 수 구하기
100원짜리 동전 3개, 10원짜리 동전 1개, 1원짜리 동전 2개가 있습니다. 동전 6개 중에서 4개를 사용하여 나타낼 수 있는 세 자리 수는 모두 몇 개인가요?

풀이 예)

100원짜리 동전	10원짜리 동전	1원짜리 동전		세 자리 수
3개	1개	0개	⇨	310
3개	0개	1개	⇨	301
2개	1개	1개	⇨	211
2개	0개	2개	⇨	202
1개	1개	2개	⇨	112

따라서 나타낼 수 있는 세 자리 수는 5개입니다.

답 ____5개____

5 [18쪽] 조건에 알맞은 수 구하기
영희가 모은 구슬의 수는 580보다 크고 599보다 작은 수 중에서 십의 자리 숫자와 일의 자리 숫자가 같은 수입니다. 영희가 모은 구슬은 몇 개인가요?

풀이 예) 백의 자리 숫자는 5입니다.
580보다 크고 599보다 작은 수 중에서 십의 자리 숫자와 일의 자리 숫자가 같은 수는 588입니다.
따라서 영희가 모은 구슬은 588개입니다.

답 ____588개____

20쪽 가격에 맞게 동전을 낼 수 있는 방법의 수 구하기

6 미주는 270원짜리 머리끈을 한 개 사려고 합니다. 머리끈 값에 꼭 맞게 100원, 50원, 10원짜리 동전을 적어도 1개씩 포함하여 낼 수 있는 방법은 모두 몇 가지인가요?

풀이 예 | | 방법1 | 방법2 | 방법3 | 방법4 |
|------|------|------|------|------|
| 100원 | 2개 | 1개 | 1개 | 1개 |
| 50원 | 1개 | 3개 | 2개 | 1개 |
| 10원 | 2개 | 2개 | 7개 | 12개 |

따라서 머리끈 값을 낼 수 있는 방법은 모두 4가지입니다.

답 　4가지

20쪽 가격에 맞게 동전을 낼 수 있는 방법의 수 구하기

7 영진이는 900원짜리 볼펜을 한 자루 사려고 합니다. 볼펜 값에 꼭 맞게 500원, 100원, 50원짜리 동전을 적어도 1개씩 포함하여 낼 수 있는 방법은 모두 몇 가지인가요?

풀이 예 | | 방법1 | 방법2 | 방법3 |
|------|------|------|------|
| 500원 | 1개 | 1개 | 1개 |
| 100원 | 3개 | 2개 | 1개 |
| 50원 | 2개 | 4개 | 6개 |

따라서 볼펜 값을 낼 수 있는 방법은 모두 3가지입니다.

답 　3가지

18쪽 조건에 알맞은 수 구하기

8 두 사람이 말하는 조건을 모두 만족하는 수를 구해 보세요.

925보다 크고 940보다 작은 세 자리 수야.

십의 자리 숫자와 일의 자리 숫자의 합은 3이야.

풀이 예 백의 자리 숫자는 9입니다.
925보다 크고 940보다 작은 수 중에서 십의 자리 숫자와 일의 자리 숫자의 합이 3인 수는 930입니다.

답 　930

20쪽 가격에 맞게 동전을 낼 수 있는 방법의 수 구하기

9 민혜는 500원짜리 풀을 한 개 사려고 합니다. 풀 값에 꼭 맞게 100원짜리 동전과 50원짜리 동전으로 낼 수 있는 방법은 모두 몇 가지인가요?

풀이 예 | | 방법1 | 방법2 | 방법3 | 방법4 | 방법5 | 방법6 |
|------|------|------|------|------|------|------|
| 100원 | 5개 | 4개 | 3개 | 2개 | 1개 | 0개 |
| 50원 | 0개 | 2개 | 4개 | 6개 | 8개 | 10개 |

따라서 풀 값을 낼 수 있는 방법은 모두 6가지입니다.

답 　6가지

14쪽 나타낼 수 있는 세 자리 수 구하기

도전문제 10 백 모형 2개, 십 모형 3개, 일 모형 1개가 있습니다. 수 모형 6개 중에서 4개를 사용하여 세 자리 수를 나타내려고 합니다. 둘째로 큰 수를 구해 보세요.

❶ 수 모형 4개를 사용하여 나타낼 수 있는 세 자리 수를 모두 구하면?

예 | 백 모형 | 십 모형 | 일 모형 | | 세 자리 수 |
|-------|-------|-------|---|---------|
| 2개 | 2개 | 0개 | ⇨ | 220 |
| 2개 | 1개 | 1개 | ⇨ | 211 |
| 1개 | 3개 | 0개 | ⇨ | 130 |
| 1개 | 2개 | 1개 | ⇨ | 121 |

❷ 나타낼 수 있는 세 자리 수 중에서 둘째로 큰 수는?

예 위 ❶에서 나타낼 수 있는 세 자리 수 중 가장 큰 수는 220이고, 둘째로 큰 수는 211입니다.

답 　211

2. 여러 가지 도형

정답과 해설 7쪽

30쪽
·
31쪽

문장제 준비하기

함께 이야기해요!
요리를 만들며 빈칸에 알맞은 수나 말을 써 보세요.

치즈는 꼭짓점이 **4** 개, 변이 **4** 개야!

치즈는 빵과 모양이 달라. **사각형** 모양이야!

햄버거의 빵과 토마토는 모두 **원** 모양이야!

---

2. 여러 가지 도형

32쪽
·
33쪽

4일 문장제 연습하기 쌓기나무의 수 비교하기 공부한날 월 일

정답과 해설 7쪽

1

시우와 사빈이가 쌓기나무로 /
오른쪽과 같은 모양을 만들었습니다. /
쌓기나무를 더 많이 사용한 사람은 누구인가요?
→ 구해야 할 것

시우   사빈

문제 돌보기

✔ 시우가 사용한 쌓기나무의 수는?
→ 1층: **4** 개, 2층: **2** 개, 3층: **1** 개

✔ 사빈이가 사용한 쌓기나무의 수는?
→ 1층: **4** 개, 2층: **1** 개

★ 구해야 할 것은?
→ 쌓기나무를 더 많이 사용한 사람

풀이 과정

❶ 시우와 사빈이가 각각 사용한 쌓기나무의 수는?
　　 1층 2층 3층
시우: **4** + **2** + **1** = **7** (개)

사빈: **4** + **1** = **5** (개)

❷ 쌓기나무를 더 많이 사용한 사람은?
7 **>** **5** 이므로 더 많이 사용한 사람은 **시우** 입니다.
　시우　　사빈
　　>, =, < 중 알맞은 것 쓰기

답 시우

🔆 왼쪽 **❶** 번과 같이 문제에 색칠하고 밑줄을 그어 가며 문제를 풀어 보세요.

1-1

채린이와 주아가 쌓기나무로 / 오른쪽과 같은
모양을 만들었습니다. / 쌓기나무를 더 적게
사용한 사람은 누구인가요?

채린   주아

문제 돌보기

✔ 채린이가 사용한 쌓기나무의 수는?
→ 1층: **4** 개, 2층: **1** 개

✔ 주아가 사용한 쌓기나무의 수는?
→ 1층: **3** 개, 2층: **1** 개

★ 구해야 할 것은?
→ 예 쌓기나무를 더 적게 사용한 사람

풀이 과정

❶ 채린이와 주아가 각각 사용한 쌓기나무의 수는?
　　 1층 2층
채린: **4** + **1** = **5** (개)

주아: **3** + **1** = **4** (개)

❷ 쌓기나무를 더 적게 사용한 사람은?
5 **>** **4** 이므로 더 적게 사용한 사람은 **주아** 입니다.
　채린　　주아

답 주아

문제가 어려웠

□ 어려워요
□ 적당해요
□ 쉬워요

7

 쌓기나무로 오른쪽과 같은 모양을 만들었습니다. / 쌓기나무가 10개 있었다면 / 모양을 만들고 남은 쌓기나무는 몇 개인가요?

└ 구해야 할 것

문제 돌보기

✓ 사용한 쌓기나무의 수는?

→ 1층: 4 개, 2층: 1 개

✓ 처음에 있던 쌓기나무의 수는?

→ 10 개

★ 구해야 할 것은?

→ 모양을 만들고 남은 쌓기나무의 수

풀이 과정

❶ 사용한 쌓기나무의 수는?

1층에 4 개, 2층에 1 개이므로

모두 4 + 1 = 5 (개)입니다.
　　　1층　2층

❷ 모양을 만들고 남은 쌓기나무의 수는?

10 − 5 = 5 (개)
└ +, − 중 알맞은 것 쓰기

답　5개

2-1 쌓기나무로 오른쪽과 같은 모양을 만들었습니다. / 쌓기나무가 9개 있었다면 / 모양을 만들고 남은 쌓기나무는 몇 개인가요?

문제 돌보기

✓ 사용한 쌓기나무의 수는?

→ 1층: 5 개, 2층: 1 개

✓ 처음에 있던 쌓기나무의 수는?

→ 9 개

★ 구해야 할 것은?

→ 　(예) 모양을 만들고 남은 쌓기나무의 수

풀이 과정

❶ 사용한 쌓기나무의 수는?

1층에 5 개, 2층에 1 개이므로

모두 5 + 1 = 6 (개)입니다.

❷ 모양을 만들고 남은 쌓기나무의 수는?

9 − 6 = 3 (개)

답　3개

문제가 어려웠나요?
☐ 어려워요
☐ 적당해요
☐ 쉬워요

36쪽 • 37쪽

문장제 실력쌓기

◆ 쌓기나무의 수 비교하기
◆ 남은 쌓기나무의 수 구하기

2. 여러 가지 도형

정답과 해설 8쪽

💡 문제를 읽고 '연습하기'에서 했던 것처럼 밑줄을 그어 가며 문제를 풀어 보세요.

1 다빈이와 한별이가 쌓기나무로 오른쪽과 같은 모양을 만들었습니다. 쌓기나무를 더 많이 사용한 사람은 누구인가요?
다빈　한별

❶ 다빈이와 한별이가 각각 사용한 쌓기나무의 수는?

(예) 다빈: 1층에 6개, 2층에 1개이므로 모두 6+1=7(개)입니다.
한별: 1층에 4개, 2층에 1개이므로 모두 4+1=5(개)입니다.

❷ 쌓기나무를 더 많이 사용한 사람은?

(예) 7>5이므로 더 많이 사용한 사람은 다빈입니다.

답　다빈

2 쌓기나무로 오른쪽과 같은 모양을 만들었습니다. 쌓기나무가 8개 있었다면 모양을 만들고 남은 쌓기나무는 몇 개인가요?

❶ 사용한 쌓기나무의 수는?

(예) 1층에 5개, 2층에 1개이므로 모두 5+1=6(개)입니다.

❷ 모양을 만들고 남은 쌓기나무의 수는?

(예) (남은 쌓기나무의 수)
＝(처음에 있던 쌓기나무의 수)−(사용한 쌓기나무의 수)
＝ 8−6=2(개)

답　2개

3 가와 나 중 쌓기나무를 더 적게 사용한 것은 어느 것인가요?
가　나

❶ 가와 나를 만드는 데 각각 사용한 쌓기나무의 수는?

(예) 가: 1층에 5개, 2층에 1개이므로 모두 5+1=6(개)입니다.
나: 1층에 7개, 2층에 1개이므로 모두 7+1=8(개)입니다.

❷ 쌓기나무를 더 적게 사용한 것은?

(예) 6<8이므로 더 적게 사용한 것은 가입니다.

답　가

4 쌓기나무로 오른쪽과 같은 모양을 2개 만들었습니다. 쌓기나무가 15개 있었다면 모양을 2개 만들고 남은 쌓기나무는 몇 개인가요?

❶ 모양을 1개 만드는 데 사용한 쌓기나무의 수는?

(예) 1층에 4개, 2층에 1개이므로 모두 4+1=5(개)입니다.

❷ 모양을 2개 만드는 데 사용한 쌓기나무의 수는?

(예) 모양을 1개 만드는 데 사용한 쌓기나무가 5개이므로 2개를 만드는 데 사용한 쌓기나무는 5+5=10(개)입니다.

❸ 모양을 2개 만들고 남은 쌓기나무의 수는?

(예) (남은 쌓기나무의 수)
＝(처음에 있던 쌓기나무의 수)−(사용한 쌓기나무의 수)=15−10=5(개)

답　5개

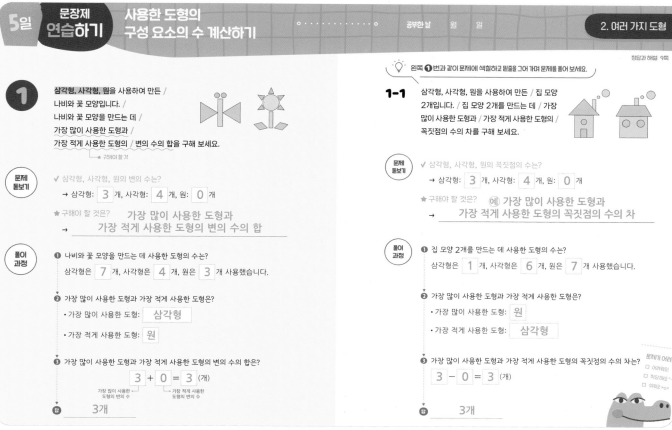

정답과 해설 9쪽

1 삼각형, 사각형, 원을 사용하여 만든 / 나비와 꽃 모양입니다. / 나비와 꽃 모양을 만드는 데 / 가장 많이 사용한 도형과 / 가장 적게 사용한 도형의 / 변의 수의 합을 구해 보세요.
↳ 구해야 할 것

문제 돋보기

✓ 삼각형, 사각형, 원의 변의 수는?
→ 삼각형: 3 개, 사각형: 4 개, 원: 0 개

★ 구해야 할 것은?
→ 가장 많이 사용한 도형과 가장 적게 사용한 도형의 변의 수의 합

풀이 과정

❶ 나비와 꽃 모양을 만드는 데 사용한 도형의 수는?
삼각형은 7 개, 사각형은 4 개, 원은 3 개 사용했습니다.

❷ 가장 많이 사용한 도형과 가장 적게 사용한 도형은?
• 가장 많이 사용한 도형: 삼각형
• 가장 적게 사용한 도형: 원

❸ 가장 많이 사용한 도형과 가장 적게 사용한 도형의 변의 수의 합은?
3 + 0 = 3 (개)
↑가장 많이 사용한   ↑가장 적게 사용한
도형의 변의 수   도형의 변의 수

답 3개

💡 왼쪽 ❶번과 같이 문제에 색칠하고 밑줄을 그어 가며 문제를 풀어 보세요.

1-1 삼각형, 사각형, 원을 사용하여 만든 / 집 모양 2개입니다. / 집 모양 2개를 만드는 데 / 가장 많이 사용한 도형과 / 가장 적게 사용한 도형의 / 꼭짓점의 수의 차를 구해 보세요.

문제 돋보기

✓ 삼각형, 사각형, 원의 꼭짓점의 수는?
→ 삼각형: 3 개, 사각형: 4 개, 원: 0 개

★ 구해야 할 것은? 예 가장 많이 사용한 도형과
→ 가장 적게 사용한 도형의 꼭짓점의 수의 차

풀이 과정

❶ 집 모양 2개를 만드는 데 사용한 도형의 수는?
삼각형은 1 개, 사각형은 6 개, 원은 7 개 사용했습니다.

❷ 가장 많이 사용한 도형과 가장 적게 사용한 도형은?
• 가장 많이 사용한 도형: 원
• 가장 적게 사용한 도형: 삼각형

❸ 가장 많이 사용한 도형과 가장 적게 사용한 도형의 꼭짓점의 수의 차는?
3 − 0 = 3 (개)

답 3개

문제가 어려웠
□ 어려워요
□ 적당해요
□ 쉬워요

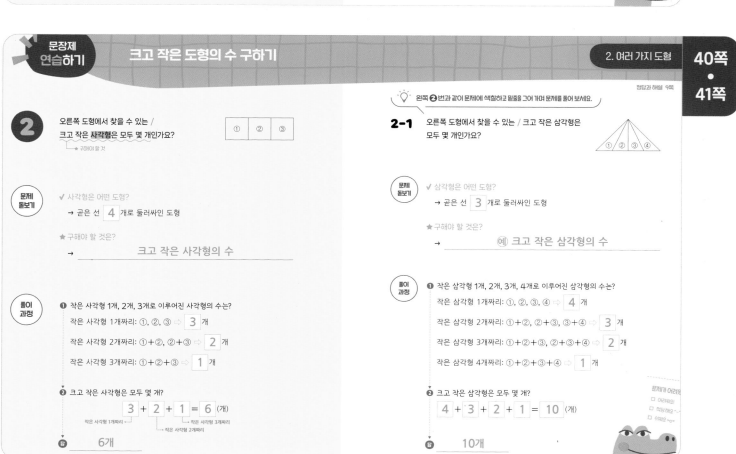

정답과 해설 9쪽

2 오른쪽 도형에서 찾을 수 있는 / 크고 작은 **사각형**은 모두 몇 개인가요?
↳ 구해야 할 것

① ② ③

문제 돋보기

✓ 사각형은 어떤 도형?
→ 곧은 선 4 개로 둘러싸인 도형

★ 구해야 할 것은?
→ 크고 작은 사각형의 수

풀이 과정

❶ 작은 사각형 1개, 2개, 3개로 이루어진 사각형의 수는?
작은 사각형 1개짜리: ①, ②, ③ ⇨ 3 개
작은 사각형 2개짜리: ①+②, ②+③ ⇨ 2 개
작은 사각형 3개짜리: ①+②+③ ⇨ 1 개

❷ 크고 작은 사각형은 모두 몇 개?
3 + 2 + 1 = 6 (개)
↑작은 사각형 1개짜리 ↑작은 사각형 3개짜리
↑작은 사각형 2개짜리

답 6개

💡 왼쪽 ❷번과 같이 문제에 색칠하고 밑줄을 그어 가며 문제를 풀어 보세요.

2-1 오른쪽 도형에서 찾을 수 있는 / 크고 작은 삼각형은 모두 몇 개인가요?

① ② ③ ④

문제 돋보기

✓ 삼각형은 어떤 도형?
→ 곧은 선 3 개로 둘러싸인 도형

★ 구해야 할 것은?
→ 예 크고 작은 삼각형의 수

풀이 과정

❶ 작은 삼각형 1개, 2개, 3개, 4개로 이루어진 삼각형의 수는?
작은 삼각형 1개짜리: ①, ②, ③, ④ ⇨ 4 개
작은 삼각형 2개짜리: ①+②, ②+③, ③+④ ⇨ 3 개
작은 삼각형 3개짜리: ①+②+③, ②+③+④ ⇨ 2 개
작은 삼각형 4개짜리: ①+②+③+④ ⇨ 1 개

❷ 크고 작은 삼각형은 모두 몇 개?
4 + 3 + 2 + 1 = 10 (개)

답 10개

문제가 어려웠
□ 어려워요
□ 적당해요
□ 쉬워요

42쪽 ● 43쪽

문장제 실력쌓기

◆ 사용한 도형의 구성 요소의 수 계산하기
◆ 크고 작은 도형의 수 구하기

2. 여러 가지 도형

정답과 해설 10쪽

문제를 읽고 '연습하기'에서 했던 것처럼 밑줄을 그어 가며 문제를 풀어 보세요.

1 삼각형, 사각형, 원을 사용하여 만든 눈사람 모양 2개입니다. 눈사람 모양 2개를 만드는 데 가장 많이 사용한 도형과 가장 적게 사용한 도형의 변의 수의 합을 구해 보세요.

❶ 눈사람 모양 2개를 만드는 데 사용한 도형의 수는?
예) 삼각형은 5개, 사각형은 7개, 원은 6개 사용했습니다.

❷ 가장 많이 사용한 도형과 가장 적게 사용한 도형은?
예) 가장 많이 사용한 도형은 사각형이고 가장 적게 사용한 도형은 삼각형입니다.

❸ 가장 많이 사용한 도형과 가장 적게 사용한 도형의 변의 수의 합은?
예) 사각형의 변의 수는 4개, 삼각형의 변의 수는 3개이므로 4+3=7(개)입니다.

답 __7개__

2 오른쪽 도형에서 찾을 수 있는 크고 작은 사각형은 모두 몇 개인가요?

| ① | ② |
| ③ | ④ |

❶ 작은 사각형 1개, 2개, 4개로 이루어진 사각형의 수는?
예) 작은 사각형 1개짜리: ①, ②, ③, ④ ⇨ 4개
작은 사각형 2개짜리: ①+②, ③+④, ①+③, ②+④ ⇨ 4개
작은 사각형 4개짜리: ①+②+③+④ ⇨ 1개

❷ 크고 작은 사각형은 모두 몇 개?
예) 크고 작은 사각형은 모두 4+4+1=9(개)입니다.

답 __9개__

3 삼각형, 사각형, 원을 달력에 표시하였습니다. 가장 많이 사용한 도형과 가장 적게 사용한 도형의 꼭짓점의 수의 차를 구해 보세요.

일	월	화	수	목	금	토
1	2	③	4	5	6	⑦
8	9	10	11	12	13	14
15	16	17	18	19	20	21
22	23	24	25	26	27	28
29	30	31				

❶ 달력에 표시를 하는 데 사용한 도형의 수는?
예) 삼각형은 5개, 사각형은 2개, 원은 3개 사용했습니다.

❷ 가장 많이 사용한 도형과 가장 적게 사용한 도형은?
예) 가장 많이 사용한 도형은 삼각형이고 가장 적게 사용한 도형은 사각형입니다.

❸ 가장 많이 사용한 도형과 가장 적게 사용한 도형의 꼭짓점의 수의 차는?
예) 삼각형의 꼭짓점의 수는 3개, 사각형의 꼭짓점의 수는 4개이므로 4-3=1(개)입니다.

답 __1개__

4 오른쪽 도형에서 찾을 수 있는 크고 작은 사각형은 모두 몇 개인가요?

❶ 작은 삼각형 2개, 3개로 이루어진 사각형의 수는?
예) 작은 삼각형 2개짜리: ①+②, ②+③, ③+④, ④+⑤, ⑤+⑥, ⑥+① ⇨ 6개
작은 삼각형 3개짜리: ①+②+③, ②+③+④, ③+④+⑤, ④+⑤+⑥, ⑤+⑥+①, ⑥+①+② ⇨ 6개

❷ 크고 작은 사각형은 모두 몇 개?
예) 크고 작은 사각형은 모두 6+6=12(개)입니다.

답 __12개__

38쪽 사용한 도형의 구성 요소의 수 계산하기

1 삼각형, 사각형, 원을 사용하여 만든 과일 꼬치 모양 3개입니다. 과일 꼬치 모양 3개를 만드는 데 가장 많이 사용한 도형은 무엇인지 쓰고, 그 도형의 변의 수를 구해 보세요.

풀이 예) 과일 꼬치 모양 3개를 만드는 데 삼각형은 3개, 사각형은 6개, 원은 3개 사용했습니다.
따라서 가장 많이 사용한 도형은 사각형이고 사각형의 변의 수는 4개입니다.

답 __사각형__ , __4개__

32쪽 쌓기나무의 수 비교하기

2 민혁이와 기현이가 쌓기나무로 다음과 같은 모양을 만들었습니다. 쌓기나무를 더 많이 사용한 사람은 누구인가요?

민혁   기현

풀이 예) 쌓기나무를 민혁이는 5개 사용했고, 기현이는 1층에 6개, 2층에 2개로 모두 6+2=8(개) 사용했습니다.
따라서 8>5이므로 쌓기나무를 더 많이 사용한 사람은 기현입니다.

답 __기현__

38쪽 사용한 도형의 구성 요소의 수 계산하기

3 삼각형, 사각형, 원을 사용하여 만든 사탕 모양 2개입니다. 사탕 모양 2개를 만드는 데 가장 많이 사용한 도형과 가장 적게 사용한 도형의 꼭짓점의 수의 합을 구해 보세요.

풀이 예) 사탕 모양 2개를 만드는 데 사용한 삼각형은 4개, 사각형은 1개, 원은 2개이므로 가장 많이 사용한 도형은 삼각형이고, 가장 적게 사용한 도형은 사각형입니다.
따라서 삼각형의 꼭짓점의 수는 3개, 사각형의 꼭짓점의 수는 4개이므로 꼭짓점의 수의 합은 3+4=7(개)입니다.

답 __7개__

32쪽 쌓기나무의 수 비교하기

4 ㉠과 ㉡ 중 쌓기나무를 더 적게 사용한 것은 어느 것인가요?

㉠   ㉡

풀이 예) 쌓기나무를 ㉠은 6개 사용했고, ㉡은 1층에 2개, 2층에 1개로 모두 2+1=3(개) 사용했습니다.
따라서 6>3이므로 쌓기나무를 더 적게 사용한 것은 ㉡입니다.

답 __㉡__

34쪽 남은 쌓기나무의 수 구하기

5 쌓기나무가 10개 들어 있는 주머니에서 쌓기나무를 꺼내 오른쪽과 같은 모양을 만들었습니다. 모양을 만들고 주머니에 남은 쌓기나무는 몇 개인가요?

풀이 예) 사용한 쌓기나무의 수는 1층에 4개, 2층에 1개이므로 모두 4+1=5(개)입니다.
따라서 모양을 만들고 주머니에 남은 쌓기나무는 10-5=5(개)입니다.

답 __5개__

단원
마무리

맞은 개수   / 10 개   걸린 시간   / 40분

2. 여러 가지 도형

46쪽
47쪽

정답과 해설 11쪽

6 (32쪽) 쌓기나무의 수 비교하기

사용한 쌓기나무의 수가 적은 것부터 차례대로 기호를 써 보세요.

 ⊙   ⓛ   ⓒ   ⓔ

(풀이) (예) 사용한 쌓기나무의 수를 써 보면 ⊙ 4개, ⓛ 2개, ⓒ 3개,
ⓔ 5개입니다.
따라서 사용한 쌓기나무의 수가 적은 것부터 차례대로
기호를 쓰면 ⓛ, ⓒ, ⊙, ⓔ입니다.

(답)   ⓛ, ⓒ, ⊙, ⓔ

7 (34쪽) 남은 쌓기나무의 수 구하기

하니는 쌓기나무로 오른쪽과 같은 모양을 만들었습니다.
모양을 만들고 남은 쌓기나무가 4개일 때, 처음에 하니가
가지고 있던 쌓기나무는 몇 개인가요?

(풀이) (예) 사용한 쌓기나무의 수는 1층에 2개, 2층에 1개, 3층에
1개이므로 모두 2+1+1=4(개)입니다.
사용한 쌓기나무의 수가 4개, 남은 쌓기나무가 4개이므로
처음에 하니가 가지고 있던
쌓기나무는 4+4=8(개)입니다.

(답)   8개

8 (40쪽) 크고 작은 도형의 수 구하기

오른쪽 도형에서 찾을 수 있는 크고 작은 사각형은
모두 몇 개인가요?

(풀이) (예) 작은 삼각형 2개짜리: ①+③, ②+③, ③+④ ⇨ 3개
작은 삼각형 3개짜리: ①+②+③, ②+③+④,
①+③+④ ⇨ 3개
따라서 크고 작은 사각형은 모두
3+3=6(개)입니다.

(답)   6개

9 (34쪽) 남은 쌓기나무의 수 구하기

쌓기나무로 오른쪽과 같은 모양을 3개 만들었습니다.
쌓기나무가 20개 있었다면 모양을 3개 만들고 남은
쌓기나무는 몇 개인가요?

(풀이) (예) 모양을 1개 만드는 데 사용한 쌓기나무는 1층에 4개, 2층에
1개이므로 모두 4+1=5(개)입니다.
모양을 3개 만드는 데 사용한 쌓기나무는
5+5+5=15(개)입니다.
따라서 모양을 3개 만들고 남은
쌓기나무는 20-15=5(개)입니다.

(답)   5개

도전문제 10 (40쪽) 크고 작은 도형의 수 구하기

오른쪽 도형에서 찾을 수 있는 크고 작은 삼각형과 크고 작은
사각형은 모두 몇 개인가요?

❶ 크고 작은 삼각형은 모두 몇 개?
(예) 작은 삼각형 1개짜리: ①, ②, ③, ④ ⇨ 4개
작은 삼각형 2개짜리: ②+③ ⇨ 1개
따라서 크고 작은 삼각형은 모두 4+1=5(개)입니다.

❷ 크고 작은 사각형은 모두 몇 개?
(예) 작은 삼각형 2개짜리: ①+②, ③+④ ⇨ 2개
작은 삼각형 3개짜리: ①+②+③, ②+③+④ ⇨ 2개
작은 삼각형 4개짜리: ①+②+③+④ ⇨ 1개
따라서 크고 작은 사각형은 모두 2+2+1=5(개)입니다.

❸ 크고 작은 삼각형과 크고 작은 사각형은 모두 몇 개?
(예) 크고 작은 삼각형은 5개이고 크고 작은 사각형은 5개이므로
모두 5+5=10(개)입니다.

(답)   10개

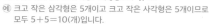

3. 덧셈과 뺄셈

문장제 준비하기
함께 이야기해요!
요리를 만들며 빈칸에 알맞은 수나 기호를 써 보세요.

정답과 해설 12쪽

도넛 42개 중에서 7개를
옆집 악어에게 가져다 주면 도넛은
42 — 7 = 35 (개) 남아.

달걀을 15개 사용했더니 16개 남았어. 처음에 있던 달걀은
16+15 = 31 에서 31 개야.

◉ 모양 도넛 28개와 ♥ 모양 도넛 14개를 만들었어.
도넛을 모두 28 + 14 = 42 (개) 만들었네.

RECIPE
도넛 만들기
준비물
빵가루 2개
초콜릿 5개
달걀, 우유 4개

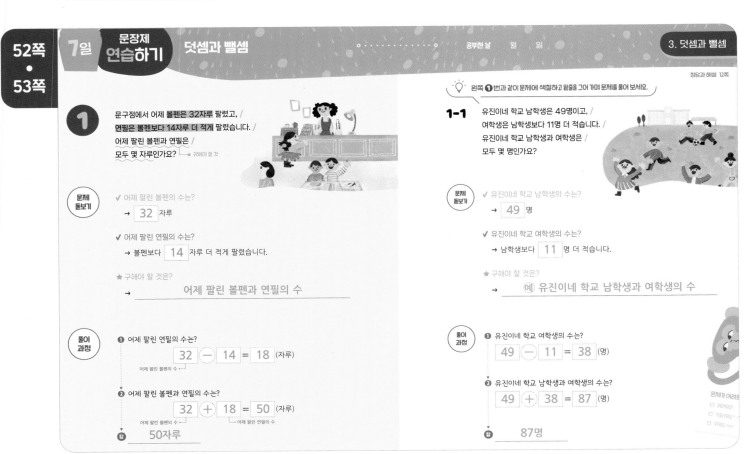

7일 문장제 연습하기 **덧셈과 뺄셈**

공부한 날 월 일

3. 덧셈과 뺄셈

정답과 해설 12쪽

💡 왼쪽 **1**번과 같이 문제에 색칠하고 밑줄을 그어 가며 문제를 풀어 보세요.

1
문구점에서 어제 볼펜은 32자루 팔렸고, /
연필은 볼펜보다 14자루 더 적게 팔렸습니다. /
어제 팔린 볼펜과 연필은 /
모두 몇 자루인가요? ◀구해야 할 것

문제 돋보기
✔ 어제 팔린 볼펜의 수는?
→ 32 자루

✔ 어제 팔린 연필의 수는?
→ 볼펜보다 14 자루 더 적게 팔렸습니다.

★ 구해야 할 것은?
→ _____어제 팔린 볼펜과 연필의 수_____

풀이 과정
❶ 어제 팔린 연필의 수는?
32 — 14 = 18 (자루)
└ 어제 팔린 볼펜의 수

❷ 어제 팔린 볼펜과 연필의 수는?
32 + 18 = 50 (자루)
└ 어제 팔린 볼펜의 수 └ 어제 팔린 연필의 수

답 50자루

1-1
유진이네 학교 남학생은 49명이고, /
여학생은 남학생보다 11명 더 적습니다. /
유진이네 학교 남학생과 여학생은 /
모두 몇 명인가요?

문제 돋보기
✔ 유진이네 학교 남학생의 수는?
→ 49 명

✔ 유진이네 학교 여학생의 수는?
→ 남학생보다 11 명 더 적습니다.

★ 구해야 할 것은?
→ (예) 유진이네 학교 남학생과 여학생의 수

풀이 과정
❶ 유진이네 학교 여학생의 수는?
49 — 11 = 38 (명)

❷ 유진이네 학교 남학생과 여학생의 수는?
49 + 38 = 87 (명)

답 87명

문제가 어려웠

정답과 해설 13쪽

② 소리와 수아가 가지고 있는 바둑돌의 수입니다. / 소리와 수아 중에서 / 바둑돌을 더 많이 가지고 있는 사람은 / 누구인가요?

 구해야 할 것

	검은색 바둑돌	흰색 바둑돌
소리	25개	46개
수아	39개	33개

문제 돋보기

✔ 소리가 가지고 있는 바둑돌의 수는?

→ 검은색 바둑돌: 25 개, 흰색 바둑돌: 46 개

✔ 수아가 가지고 있는 바둑돌의 수는?

→ 검은색 바둑돌: 39 개, 흰색 바둑돌: 33 개

★ 구해야 할 것은?

→ 바둑돌을 더 많이 가지고 있는 사람

풀이 과정

❶ 소리와 수아가 각각 가지고 있는 바둑돌의 수는?

소리: 25 + 46 = 71 (개)

+, - 중 알맞은 것 쓰기

수아: 39 + 33 = 72 (개)

❷ 바둑돌을 더 많이 가지고 있는 사람은?

72 > 71 이므로 더 많이 가지고 있는 사람은 수아 입니다.

답 수아

💡 왼쪽 ②번과 같이 문제에 색칠하고 밑줄을 그어 가며 문제를 풀어 보세요.

2-1 과일 가게에서 어제와 오늘 판 / 오렌지와 자몽의 수입니다. / 오렌지와 자몽 중에서 / 이틀 동안 더 많이 팔린 과일은 / 어느 것인가요?

	어제	오늘
오렌지	35개	28개
자몽	16개	44개

문제 돋보기

✔ 어제와 오늘 판 오렌지의 수는?

→ 어제: 35 개, 오늘: 28 개

✔ 어제와 오늘 판 자몽의 수는?

→ 어제: 16 개, 오늘: 44 개

★ 구해야 할 것은?

→ (예) 이틀 동안 더 많이 팔린 과일

풀이 과정

❶ 이틀 동안 각각 팔린 오렌지와 자몽의 수는?

오렌지: 35 + 28 = 63 (개)

자몽: 16 + 44 = 60 (개)

❷ 이틀 동안 더 많이 팔린 과일은?

63 > 60 이므로 이틀 동안 더 많이 팔린 과일은 오렌지 입니다.

답 오렌지

문제가 어려우면
□ 어려워요
□ 적당해요
□ 쉬워요

정답과 해설 13쪽

💡 문제를 읽고 '연습하기'에서 했던 것처럼 밑줄을 그어 가며 문제를 풀어 보세요.

1 과수원에 사과나무가 33그루 있고, 복숭아나무는 사과나무보다 4그루 더 적게 있습니다. 과수원에 있는 사과나무와 복숭아나무는 모두 몇 그루인가요?

❶ 과수원에 있는 복숭아나무의 수는?

(예) (복숭아나무의 수)=(사과나무의 수)−4
= 33−4=29(그루)

❷ 과수원에 있는 사과나무와 복숭아나무의 수는?

(예) 33+29=62(그루)

답 62그루

2 나리는 동화책을 어제는 58쪽 읽었고, 오늘은 어제보다 21쪽 더 적게 읽었습니다. 나리가 어제와 오늘 읽은 동화책은 모두 몇 쪽인가요?

❶ 나리가 오늘 읽은 동화책의 쪽수는?

(예) (오늘 읽은 동화책의 쪽수)=(어제 읽은 동화책의 쪽수)−21
= 58−21=37(쪽)

❷ 나리가 어제와 오늘 읽은 동화책의 쪽수는?

(예) 58+37=95(쪽)

답 95쪽

3 유빈이와 효원이가 가지고 있는 탁구공의 수입니다. 유빈이와 효원이 중에서 탁구공을 더 많이 가지고 있는 사람은 누구인가요?

	흰색 탁구공	주황색 탁구공
유빈	18개	14개
효원	7개	26개

❶ 유빈이와 효원이가 각각 가지고 있는 탁구공의 수는?

(예) 유빈: 18+14=32(개)
효원: 7+26=33(개)

❷ 탁구공을 더 많이 가지고 있는 사람은?

(예) 33>32이므로 탁구공을 더 많이 가지고 있는 사람은 효원입니다.

답 효원

4 소담이는 줄넘기를 어제 36번 했고, 오늘 52번 했습니다. 진우는 줄넘기를 어제 66번 했고, 오늘 19번 했습니다. 소담이와 진우 중에서 이틀 동안 줄넘기를 더 적게 한 사람은 누구인가요?

❶ 소담이와 진우가 이틀 동안 각각 한 줄넘기 횟수는?

(예) 소담: 36+52=88(번)
진우: 66+19=85(번)

❷ 이틀 동안 줄넘기를 더 적게 한 사람은?

(예) 85<88이므로 이틀 동안 줄넘기를 더 적게 한 사람은 진우입니다.

답 진우

정답과 해설 14쪽

1

봉지에 초콜릿이 들어 있습니다. /
봉지에 초콜릿 9개를 더 담았더니 /
27개가 되었습니다. /
처음 봉지에 있던 초콜릿은 몇 개일까요?

 구해야 할 것

문제 돋보기

✔ 봉지에 더 담은 초콜릿의 수는?
→ **9** 개

✔ 봉지에 더 담은 후 전체 초콜릿의 수는?
→ **27** 개

★ 구해야 할 것은?
→ 처음 봉지에 있던 초콜릿의 수

풀이 과정

❶ 처음 봉지에 있던 초콜릿의 수를 ■개라 하여 식으로 나타내면?

■ **+** 9 = **27**
└ +, - 중 알맞은 것 쓰기

❷ 처음 봉지에 있던 초콜릿의 수는?

27 −9=■, ■= **18** 이므로

처음 봉지에 있던 초콜릿은 **18** 개입니다.

답 **18개**

💡 왼쪽 ❶번과 같이 문제에 색칠하고 밑줄을 그어 가며 문제를 풀어 보세요.

1-1

상자에 병뚜껑이 있습니다. / 진혁이가 병뚜껑
34개를 사용하여 / 재활용 작품을 만들었더니 /
7개가 남았습니다. / 처음 상자에 있던 병뚜껑은
몇 개일까요?

문제 돋보기

✔ 진혁이가 사용한 병뚜껑의 수는?
→ **34** 개

✔ 진혁이가 사용하고 남은 병뚜껑의 수는?
→ **7** 개

★ 구해야 할 것은?
→ (예) 처음 상자에 있던 병뚜껑의 수

풀이 과정

❶ 처음 상자에 있던 병뚜껑의 수를 ■개라 하여 식으로 나타내면?

■ **−** 34 = **7**

❷ 처음 상자에 있던 병뚜껑의 수는?

7 +34=■, ■= **41** 이므로

처음 상자에 있던 병뚜껑은 **41** 개입니다.

답 **41개**

문제가 어려우면
☐ 어려워
☐ 적당해요
☐ 위워요

정답과 해설 14쪽

2

어떤 수에 8을 더해야 할 것을 /
잘못하여 뺐더니 23이 되었습니다. /
바르게 계산한 값은 얼마인가요?

 구해야 할 것

문제 돋보기

✔ 잘못 계산한 식은?
→ ((덧셈식), 뺄셈식)을 계산해야 하는데 잘못하여
(덧셈식 ,(뺄셈식))을 계산했습니다.

✔ 바르게 계산하려면?
→ 어떤 수에(서) **8** 을(를) ((더합니다), 뺍니다).

★ 구해야 할 것은?
→ 바르게 계산한 값

풀이 과정

❶ 어떤 수를 ■라 할 때, 잘못 계산한 식은?

■ **−** 8 = **23**

❷ 어떤 수는?

23 + 8 =■, ■= **31**

❸ 바르게 계산한 값은?

31 + 8 = **39**
└ 어떤 수

답 **39**

💡 왼쪽 ❷번과 같이 문제에 색칠하고 밑줄을 그어 가며 문제를 풀어 보세요.

2-1

어떤 수에서 17을 빼야 할 것을 / 잘못하여 더했더니 61이 되었습니다. /
바르게 계산한 값은 얼마인가요?

문제 돋보기

✔ 잘못 계산한 식은?
→ (덧셈식 ,(뺄셈식))을 계산해야 하는데 잘못하여
((덧셈식), 뺄셈식)을 계산했습니다.

✔ 바르게 계산하려면?
→ 어떤 수에(서) **17** 을(를) (더합니다 ,(뺍니다)).

★ 구해야 할 것은?
→ (예) 바르게 계산한 값

풀이 과정

❶ 어떤 수를 ■라 할 때, 잘못 계산한 식은?

■ **+** 17 = **61**

❷ 어떤 수는?

61 − 17 =■, ■= **44**

❸ 바르게 계산한 값은?

44 − 17 = **27**
└ 어떤 수

답 **27**

문제가 어려우면
☐ 어려워
☐ 적당해요
☐ 위워요

문장제 실력쌓기
◆ 처음의 수 구하기
◆ 바르게 계산한 값 구하기

3. 덧셈과 뺄셈

62쪽 · 63쪽

정답과 해설 15쪽

문제를 읽고 '연습하기'에서 했던 것처럼 밑줄을 그어 가며 문제를 풀어 보세요.

1 운동장에 학생들이 모여 있습니다. 교실에서 14명이 운동장으로 나왔더니 모두 22명이 되었습니다. 처음 운동장에 모여 있던 학생은 몇 명일까요?

❶ 처음 운동장에 모여 있던 학생의 수를 ■명이라 하여 식으로 나타내면?
예) ■+14=22

❷ 처음 운동장에 모여 있던 학생의 수는?
예) 22−14=■, ■=8이므로 처음 운동장에 모여 있던 학생은 8명입니다.

답 ___8명___

2 꽃 가게에 장미가 있습니다. 그중에서 29송이를 팔았더니 57송이가 남았습니다. 처음 꽃 가게에 있던 장미는 몇 송이일까요?

❶ 처음 꽃 가게에 있던 장미의 수를 ■송이라 하여 식으로 나타내면?
예) ■−29=57

❷ 처음 꽃 가게에 있던 장미의 수는?
예) 57+29=■, ■=86이므로 처음 꽃 가게에 있던 장미는 86송이입니다.

답 ___86송이___

3 어떤 수에 38을 더해야 할 것을 잘못하여 뺐더니 8이 되었습니다. 바르게 계산한 값은 얼마인가요?

❶ 어떤 수를 ■라 할 때, 잘못 계산한 식은?
예) ■−38=8

❷ 어떤 수는?
예) 8+38=■, ■=46

❸ 바르게 계산한 값은?
예) 46+38=84

답 ___84___

4 어떤 수에서 63을 빼야 할 것을 잘못하여 53을 뺐더니 29가 되었습니다. 바르게 계산한 값은 얼마인가요?

❶ 어떤 수를 ■라 할 때, 잘못 계산한 식은?
예) ■−53=29

❷ 어떤 수는?
예) 29+53=■, ■=82

❸ 바르게 계산한 값은?
예) 82−63=19

답 ___19___

1

수 카드 3 , 5 , 6 중에서 / 2장을 골라 두 자리 수를 만들어 / 72에서 빼려고 합니다. / 계산 결과가 가장 큰 수가 되는 / 뺄셈식을 쓰고 계산해 보세요.
└→ 구해야 할 것

문제 돋보기

✓ 수 카드를 이용하여 만들려는 식은?
→ 72 −(두 자리 수)

★ 구해야 할 것? 계산 결과가 가장 큰 수가 되는
→ 뺄셈식을 쓰고 계산하기

풀이 과정

❶ 계산 결과가 가장 큰 수가 되는 뺄셈식을 만들려면?
72에서 가장 (큰 , (작은)) 수를 빼야 합니다.

❷ 수 카드로 만들 수 있는 가장 작은 두 자리 수는?
수 카드의 수의 크기를 비교하면 3 < 5 < 6 이므로
수 카드로 만들 수 있는 가장 작은 두 자리 수는 35 입니다.

❸ 계산 결과가 가장 큰 수가 되는 뺄셈식을 쓰고 계산하면?
72− 35 = 37
└→ 수 카드로 만들 수 있는 가장 작은 두 자리 수

답 ___72−35=37___

왼쪽 ❶번과 같이 문제에 색칠하고 밑줄을 그어 가며 문제를 풀어 보세요.

1-1

수 카드 1 , 7 , 8 중에서 / 2장을 골라 두 자리 수를 만들어 / 93에서 빼려고 합니다. / 계산 결과가 가장 작은 수가 되는 / 뺄셈식을 쓰고 계산해 보세요.

문제 돋보기

✓ 수 카드를 이용하여 만들려는 식은?
→ 93 −(두 자리 수)

★ 구해야 할 것? 예) 계산 결과가 가장 작은 수가 되는
→ 뺄셈식을 쓰고 계산하기

풀이 과정

❶ 계산 결과가 가장 작은 수가 되는 뺄셈식을 만들려면?
93에서 가장 ((큰) , 작은) 수를 빼야 합니다.

❷ 수 카드로 만들 수 있는 가장 큰 두 자리 수는?
수 카드의 수의 크기를 비교하면 8 > 7 > 1 이므로
수 카드로 만들 수 있는 가장 큰 두 자리 수는 87 입니다.

❸ 계산 결과가 가장 작은 수가 되는 뺄셈식을 쓰고 계산하면?
93− 87 = 6
└→ 수 카드로 만들 수 있는 가장 큰 두 자리 수

답 ___93−87=6___

문제가 어려웠
□ 어려워요
□ 적당해요
□ 위워요

66쪽
•
67쪽

문장제
연습하기

합이 가장 큰(작은)
덧셈식 만들기

3. 덧셈과 뺄셈

정답과 해설 16쪽

2 수 카드 2 , 3 , 5 , 6 을 한 번씩 모두 사용하여 /

(두 자리 수)+(두 자리 수)를 만들려고 합니다. /

합이 가장 큰 덧셈식을 쓰고 / 계산해 보세요.

└→ 구해야 할 것

문제
돋보기

✓ 수 카드를 이용하여 만들려는 식은?

→ (두 자리 수) (두 자리 수)

★ 구해야 할 것은?

→   합이 가장 큰 덧셈식을 쓰고 계산하기

풀이
과정

❶ 합이 가장 크도록 두 자리 수를 2개 만들려면?

두 수의 십의 자리에 각각 가장 ((큰) , 작은) 수와 둘째로 ((큰) , 작은)

수를 놓고 나머지 두 수를 일의 자리에 각각 놓아야 합니다.

❷ 두 수의 십의 자리와 일의 자리에 놓아야 하는 수는?

수 카드의 수의 크기를 비교하면 6>5>3>2이므로

두 수의 십의 자리에 놓아야 하는 수는 6 , 5 이고,

일의 자리에 놓아야 하는 수는 3 , 2 입니다.

❸ 합이 가장 큰 덧셈식을 쓰고 계산하면?

예 63 + 52 = 115

답 예 63+52=115

왼쪽 ❷번과 같이 문제에 색칠하고 밑줄을 그어 가며 문제를 풀어 보세요.

2-1 수 카드 1 , 4 , 5 , 8 을 한 번씩 모두 사용하여 /

(두 자리 수)+(두 자리 수)를 만들려고 합니다. /

합이 가장 작은 덧셈식을 쓰고 / 계산해 보세요.

문제
돋보기

✓ 수 카드를 이용하여 만들려는 식은?

→ (두 자리 수) (두 자리 수)

★ 구해야 할 것은?

→   예 합이 가장 작은 덧셈식을 쓰고 계산하기

풀이
과정

❶ 합이 가장 작도록 두 자리 수를 2개 만들려면?

두 수의 십의 자리에 각각 가장 (큰 , (작은)) 수와 둘째로 (큰 , (작은))

수를 놓고 나머지 두 수를 일의 자리에 각각 놓아야 합니다.

❷ 두 수의 십의 자리와 일의 자리에 놓아야 하는 수는?

수 카드의 수의 크기를 비교하면 1<4<5<8이므로

두 수의 십의 자리에 놓아야 하는 수는 1 , 4 이고,

일의 자리에 놓아야 하는 수는 5 , 8 입니다.

❸ 합이 가장 작은 덧셈식을 쓰고 계산하면?

예 15 + 48 = 63

답 예 15+48=63

문제가 어려웠
□ 어려워요
□ 적당해요
□ 쉬워요

68쪽
•
69쪽

문장제
실력쌓기

◆ 계산 결과가 가장 큰(작은) 수가 되는
   뺄셈식 만들기
◆ 합이 가장 큰(작은) 덧셈식 만들기

3. 덧셈과 뺄셈

정답과 해설 16쪽

문제를 읽고 '연습하기'에서 했던 것처럼 밑줄을 그어 가며 문제를 풀어 보세요.

1 수 카드 2 , 6 , 8 중에서 2장을 골라 두 자리 수를 만들어 90에서 빼려고

합니다. 계산 결과가 가장 큰 수가 되는 뺄셈식을 쓰고 계산해 보세요.

❶ 계산 결과가 가장 큰 수가 되는 뺄셈식을 만들려면?

예 90에서 가장 작은 두 자리 수를 빼야 합니다.

❷ 수 카드로 만들 수 있는 가장 작은 두 자리 수는?

예 수 카드의 수의 크기를 비교하면 2<6<8이므로 수 카드로 만들 수

있는 가장 작은 두 자리 수는 26입니다.

❸ 계산 결과가 가장 큰 수가 되는 뺄셈식을 쓰고 계산하면?

예 90-26=64

답 90-26=64

2 수 카드 1 , 3 , 4 , 5 중에서 2장을 골라 두 자리 수를 만들어 61에서

빼려고 합니다. 계산 결과가 가장 작은 수가 되는 뺄셈식을 쓰고 계산해 보세요.

❶ 계산 결과가 가장 작은 수가 되는 뺄셈식을 만들려면?

예 61에서 가장 큰 두 자리 수를 빼야 합니다.

❷ 수 카드로 만들 수 있는 가장 큰 두 자리 수는?

예 수 카드의 수의 크기를 비교하면 5>4>3>1이므로 수 카드로 만들

수 있는 가장 큰 두 자리 수는 54입니다.

❸ 계산 결과가 가장 작은 수가 되는 뺄셈식을 쓰고 계산하면?

예 61-54=7

답 61-54=7

3 수 카드 1 , 2 , 7 , 8 을 한 번씩 모두 사용하여 (두 자리 수)+(두 자리 수)를

만들려고 합니다. 합이 가장 큰 덧셈식을 쓰고 계산해 보세요.

❶ 합이 가장 크도록 두 자리 수를 2개 만들려면?

예 두 수의 십의 자리에 각각 가장 큰 수와 둘째로 큰 수를 놓고 나머지 두

수를 일의 자리에 각각 놓아야 합니다.

❷ 두 수의 십의 자리와 일의 자리에 놓아야 하는 수는?

예 수 카드의 수의 크기를 비교하면 8>7>2>1이므로 두 수의 십의 자리에

놓아야 하는 수는 8, 7이고, 일의 자리에 놓아야 하는 수는 2, 1입니다.

❸ 합이 가장 큰 덧셈식을 쓰고 계산하면?

예 82+71=153

답 예 82+71=153

4 수 카드 6 , 7 , 8 , 9 를 한 번씩 모두 사용하여 (두 자리 수)+(두 자리 수)를

만들려고 합니다. 합이 가장 작은 덧셈식을 쓰고 계산해 보세요.

❶ 합이 가장 작도록 두 자리 수를 2개 만들려면?

예 두 수의 십의 자리에 각각 가장 작은 수와 둘째로 작은 수를 놓고

나머지 두 수를 일의 자리에 각각 놓아야 합니다.

❷ 두 수의 십의 자리와 일의 자리에 놓아야 하는 수는?

예 수 카드의 수의 크기를 비교하면 6<7<8<9이므로 두 수의 십의 자리에

놓아야 하는 수는 6, 7이고, 일의 자리에 놓아야 하는 수는 8, 9입니다.

❸ 합이 가장 작은 덧셈식을 쓰고 계산하면?

예 68+79=147

답 예 68+79=147

정답과 해설 17쪽

1

세 수를 빈칸에 써넣어 /
계산 결과가 가장 큰 세 수의 계산식을 만들려고 합니다. /
계산 결과가 가장 큰 세 수의 계산식을 쓰고 /
계산해 보세요.　↳구해야 할 것

⟨18⟩ ⟨14⟩ ⟨23⟩　□ + □ − □

문제 돋보기

★ 구해야 할 것은?　계산 결과가 가장 큰 세 수의
→ 　　　　계산식을 쓰고 계산하기

✔ 계산 결과가 가장 큰 세 수의 계산식을 만들려면?
→ 더하는 수는 (작게 ,⟨크게⟩), 빼는 수는 (⟨작게⟩, 크게) 해야
　계산 결과가 가장 큽니다.

풀이 과정

❶ 계산 결과가 가장 큰 세 수의 계산식을 만들려면?
　가장 큰 수인 | 23 | 과(와) 둘째로 큰 수인 | 18 | 을(를) 더하고
　가장 작은 수인 | 14 | 을(를) 빼야 합니다.

❷ 계산 결과가 가장 큰 세 수의 계산식을 쓰고 계산하면?
| 23 | + | 18 | − | 14 | = | 27 | 또는 18+23−14=27

답 　23+18−14=27 또는 18+23−14=27

💡 왼쪽 ❶번과 같이 문제에 색칠하고 밑줄을 그어 가며 문제를 풀어 보세요.

1-1 세 수를 빈칸에 써넣어 / 계산 결과가 가장 큰 세 수의 계산식을 만들려고
합니다. / 계산 결과가 가장 큰 세 수의 계산식을 쓰고 / 계산해 보세요.

⟨35⟩ ⟨26⟩ ⟨19⟩　□ − □ + □

문제 돋보기

★ 구해야 할 것은? ⟨예⟩ 계산 결과가 가장 큰 세 수의
→ 　　　　계산식을 쓰고 계산하기

✔ 계산 결과가 가장 큰 세 수의 계산식을 만들려면?
→ 빼는 수는 (⟨작게⟩, 크게), 더하는 수는 (작게 ,⟨크게⟩) 해야
　계산 결과가 가장 큽니다.

풀이 과정

❶ 계산 결과가 가장 큰 세 수의 계산식을 만들려면?
　가장 큰 수인 | 35 | 에서 가장 작은 수인 | 19 | 을(를) 빼고
　둘째로 큰 수인 | 26 | 을(를) 더해야 합니다.

❷ 계산 결과가 가장 큰 세 수의 계산식을 쓰고 계산하면?
| 35 | − | 19 | + | 26 | = | 42 |
　또는 26−19+35=42

답 　35−19+26=42 또는 26−19+35=42

문제가 어려웠
□ 어려워요!
□ 적당해요
□ 쉬워요 ^o^

정답과 해설 17쪽

2

소라는 두 자리 수가 적힌 공을 / 2개 가지고 있습니다. /
공에 적힌 두 수의 합은 65이고, / 두 수의 차는 9입니다. /
소라가 가지고 있는 공에 적힌 두 수는 / 각각 얼마인가요?
↳구해야 할 것

문제 돋보기

✔ 공에 적힌 두 수의 합은? → | 65 |

✔ 공에 적힌 두 수의 차는? → | 9 |

★ 구해야 할 것은?
→ 　　소라가 가지고 있는 공에 적힌 두 수

풀이 과정

❶ 두 수의 합이 65가 되도록 표를 만들면?

첫 번째 수	33	34	35	36	37	38	⋯⋯
두 번째 수	32	31	30	29	28	27	⋯⋯
두 수의 차	1	3	5	7	9	11	⋯⋯

❷ 소라가 가지고 있는 공에 적힌 두 수는?
위 ❶의 표에서 합이 65이고, 차가 9인 두 수는 각각
| 37 |, | 28 | 입니다.

답 　 37 , 28

💡 왼쪽 ❷번과 같이 문제에 색칠하고 밑줄을 그어 가며 문제를 풀어 보세요.

2-1 채우는 두 자리 수가 적힌 수 카드를 / 2개 가지고 있습니다. / 수 카드에 적힌
두 수의 합은 68이고, / 두 수의 차는 10입니다. / 채우가 가지고 있는
수 카드에 적힌 두 수는 / 각각 얼마인가요?

문제 돋보기

✔ 수 카드에 적힌 두 수의 합은? → | 68 |

✔ 수 카드에 적힌 두 수의 차는? → | 10 |

★ 구해야 할 것은?
→ 　⟨예⟩ 채우가 가지고 있는 수 카드에 적힌 두 수

풀이 과정

❶ 두 수의 합이 68이 되도록 표를 만들면?

첫 번째 수	34	35	36	37	38	39	⋯⋯
두 번째 수	34	33	32	31	30	29	⋯⋯
두 수의 차	0	2	4	6	8	10	⋯⋯

❷ 채우가 가지고 있는 수 카드에 적힌 두 수는?
위 ❶의 표에서 합이 68이고, 차가 10인 두 수는 각각
| 39 |, | 29 | 입니다.

답 　 39 , 29

문제가 어려웠
□ 어려워요!
□ 적당해요
□ 쉬워요 ^o^

74쪽 • 75쪽

문장제 실력쌓기

◆ 계산 결과가 가장 큰 세 수의 계산식 만들기
◆ 합과 차가 주어진 두 수 구하기

3. 덧셈과 뺄셈

정답과 해설 18쪽

💡 문제를 읽고 '연습하기'에서 했던 것처럼 밑줄을 그어 가며 문제를 풀어 보세요.

1 세 수를 빈칸에 써넣어 계산 결과가 가장 큰 세 수의 계산식을 만들려고 합니다. 계산 결과가 가장 큰 세 수의 계산식을 쓰고 계산해 보세요.

(12) (15) (28) ☐ − ☐ + ☐

❶ 계산 결과가 가장 큰 세 수의 계산식을 만들려면?
  예) 가장 큰 수인 28에서 가장 작은 수인 12를 빼고 둘째로 큰 수인 15를 더해야 합니다.

❷ 계산 결과가 가장 큰 세 수의 계산식을 쓰고 계산하면?
  예) 28−12+15=31 (또는 15−12+28=31)

🔖 28−12+15=31 또는 15−12+28=31

2 네 수 중에서 세 수를 빈칸에 써넣어 계산 결과가 가장 큰 세 수의 계산식을 만들려고 합니다. 계산 결과가 가장 큰 세 수의 계산식을 쓰고 계산해 보세요.

(16) (37) (55) (31) ☐ + ☐ − ☐

❶ 계산 결과가 가장 큰 세 수의 계산식을 만들려면?
  예) 가장 큰 수인 55와 둘째로 큰 수인 37을 더하고 가장 작은 수인 16을 빼야 합니다.

❷ 계산 결과가 가장 큰 세 수의 계산식을 쓰고 계산하면?
  예) 55+37−16=76 (또는 37+55−16=76)

🔖 55+37−16=76 또는 37+55−16=76

3 유라는 두 자리 수가 적힌 공을 2개 가지고 있습니다. 공에 적힌 두 수의 합은 43이고, 두 수의 차는 5입니다. 유라가 가지고 있는 공에 적힌 두 수는 각각 얼마인가요?

❶ 두 수의 합이 43이 되도록 표를 만들면?

첫 번째 수	22	23	24	25	26	27	⋯⋯
두 번째 수	21	20	19	18	17	16	⋯⋯
두 수의 차	1	3	5	7	9	11	⋯⋯

❷ 유라가 가지고 있는 공에 적힌 두 수는?
  예) 위 ❶의 표에서 합이 43이고, 차가 5인 두 수는 각각 24, 19입니다.

🔖 24 , 19

4 태건이는 두 자리 수가 적힌 수 카드를 2개 가지고 있습니다. 수 카드에 적힌 두 수의 합은 87이고, 두 수의 차는 17입니다. 태건이가 가지고 있는 수 카드에 적힌 두 수는 각각 얼마인가요?

❶ 두 수의 합이 87이 되도록 표를 만들면?

첫 번째 수	49	50	51	52	53	54	⋯⋯
두 번째 수	38	37	36	35	34	33	⋯⋯
두 수의 차	11	13	15	17	19	21	⋯⋯

❷ 태건이가 가지고 있는 수 카드에 적힌 두 수는?
  예) 위 ❶의 표에서 합이 87이고, 차가 17인 두 수는 각각 52, 35입니다.

🔖 52 , 35

---

1 (52쪽 덧셈과 뺄셈)
냉장고에 귤이 34개 있고, 사과는 귤보다 15개 더 적게 있습니다. 냉장고에 있는 귤과 사과는 모두 몇 개인가요?

풀이 예) 냉장고에 있는 사과는 귤보다 15개 더 적게 있으므로 34−15=19(개)입니다.
따라서 냉장고에 있는 귤과 사과는 모두 34+19=53(개)입니다.

🔖 53개

2 (58쪽 처음의 수 구하기)
생선 가게에 고등어가 있습니다. 그중에서 55마리를 팔았더니 37마리가 남았습니다. 처음 생선 가게에 있던 고등어는 몇 마리일까요?

풀이 예) 처음 생선 가게에 있던 고등어의 수를 ■마리라 하여 식으로 나타내면 ■−55=37입니다.
37+55=■, ■=92이므로 처음 생선 가게에 있던 고등어는 92마리입니다.

🔖 92마리

3 (64쪽 계산 결과가 가장 큰(작은) 수가 되는 뺄셈식 만들기)
수 카드 4 , 6 , 7 중에서 2장을 골라 두 자리 수를 만들어 85에서 빼려고 합니다. 계산 결과가 가장 큰 수가 되는 뺄셈식을 쓰고 계산해 보세요.

풀이 예) 85에서 가장 작은 두 자리 수를 빼야 계산 결과가 가장 큰 수가 됩니다.
수 카드의 수의 크기를 비교하면 4<6<7이므로 수 카드로 만들 수 있는 가장 작은 두 자리 수는 46입니다.
따라서 계산 결과가 가장 큰 수가 되는 뺄셈식은 85−46=39입니다. 🔖 85−46=39

4 (54쪽 계산 결과의 크기 비교하기)
세아와 민욱이가 가지고 있는 사탕의 수입니다. 세아와 민욱이 중에서 사탕을 더 적게 가지고 있는 사람은 누구인가요?

	딸기맛 사탕	레몬맛 사탕
세아	19개	18개
민욱	25개	7개

풀이 예) 세아가 가지고 있는 사탕은 19+18=37(개)입니다.
민욱이가 가지고 있는 사탕은 25+7=32(개)입니다.
32<37이므로 사탕을 더 적게 가지고 있는 사람은 민욱입니다.

🔖 민욱

5 (72쪽 합과 차가 주어진 두 수 구하기)
선미는 두 자리 수가 적힌 공을 2개 가지고 있습니다. 공에 적힌 두 수의 합은 69이고, 두 수의 차는 19입니다. 선미가 가지고 있는 공에 적힌 두 수는 각각 얼마인가요?

풀이 예) 먼저 두 수의 합이 69가 되도록 표를 만듭니다.

첫 번째 수	40	41	42	43	44	45	⋯⋯
두 번째 수	29	28	27	26	25	24	⋯⋯
두 수의 차	11	13	15	17	19	21	⋯⋯

표에서 합이 69이고, 차가 19인 두 수는 각각 44, 25입니다.

🔖 44 , 25

6 ⁶⁰쪽 바르게 계산한 값 구하기

어떤 수에서 19를 빼야 할 것을 잘못하여 더했더니 72가 되었습니다.
바르게 계산한 값은 얼마인가요?

풀이 예 어떤 수를 ■라 하여 잘못 계산한 식을 쓰면
■+19=72입니다.
72-19=■, ■=53이므로 어떤 수는 53입니다.
따라서 바르게 계산한 값은 53-19=34입니다.

답　34

7 ⁷⁰쪽 계산 결과가 가장 큰 세 수의 계산식 만들기

세 수를 빈칸에 써넣어 계산 결과가 가장 큰 세 수의 계산식을 만들려고
합니다. 계산 결과가 가장 큰 세 수의 계산식을 쓰고 계산해 보세요.

27　48　33　　☐ + ☐ - ☐

풀이 예 계산 결과가 가장 크려면 가장 큰 수인 48과 둘째로 큰
수인 33을 더하고 가장 작은 수인 27을 빼야 합니다.
⇨ 48+33-27=54 (또는 33+48-27=54)

답 48+33-27=54
또는 33+48-27=54

8 ⁶⁶쪽 합이 가장 큰(작은) 덧셈식 만들기

수 카드 1 , 3 , 6 , 8 을 한 번씩 모두 사용하여

(두 자리 수)+(두 자리 수)를 만들려고 합니다. 합이 가장 큰 덧셈식을
쓰고 계산해 보세요.

풀이 예 두 수의 십의 자리에 각각 가장 큰 수와 둘째로 큰 수를 놓고
나머지 두 수를 일의 자리에 각각 놓아야 합이 가장 커집니다.
수 카드의 수의 크기를 비교하면 8>6>3>1이므로 두 수의
십의 자리에 놓아야 하는 수는 8, 6이고, 일의 자리에 놓아야
하는 수는 3, 1입니다.
⇨ 83+61=144　　답 예 83+61=144

9 ⁷⁰쪽 계산 결과가 가장 큰 세 수의 계산식 만들기

네 수 중에서 세 수를 빈칸에 써넣어 계산 결과가 가장 큰 세 수의
계산식을 만들려고 합니다. 계산 결과가 가장 큰 세 수의 계산식을 쓰고
계산해 보세요.

35　58　36　19　　☐ - ☐ + ☐

풀이 예 계산 결과가 가장 크려면 가장 큰 수인 58에서 가장 작은
수인 19를 빼고 둘째로 큰 수인 36을 더해야 합니다.
⇨ 58-19+36=75 (또는 36-19+58=75)

답 58-19+36=75
또는 36-19+58=75

10 도전문제 ⁶⁴쪽 계산 결과가 가장 큰(작은) 수가 되는 뺄셈식 만들기

수 카드 2 , 5 , 8 중에서 2장을 골라 두 자리 수를 만들어

90에서 빼려고 합니다. 계산 결과가 둘째로 작은 수가 되는 뺄셈식을 쓰고
계산해 보세요.

❶ 계산 결과가 둘째로 작은 수가 되는 뺄셈식을 만들려면?
　예 90에서 수 카드로 만들 수 있는 둘째로 큰 수를 빼면 계산
　결과가 둘째로 작은 수가 됩니다.

❷ 수 카드로 만들 수 있는 둘째로 큰 두 자리 수는?
예 수 카드의 수의 크기를 비교하면 8>5>2이므로 수 카드로 만들 수 있는
가장 큰 두 자리 수는 85입니다. 따라서 수 카드로 만들 수 있는
둘째로 큰 두 자리 수는 85에서 일의 자리 숫자를 2로 바꾼 82입니다.

❸ 계산 결과가 둘째로 작은 수가 되는 뺄셈식을 쓰고 계산하면?
　예 계산 결과가 둘째로 작은 수가 되는 뺄셈식은
　90-82=8입니다.

답　90-82=8

4. 길이 재기

82쪽
·
83쪽

문장제 준비하기

함께 이야기해요!
요리를 만들며 빈칸에 알맞은 수를 써 보세요.

별 장식의 길이는 **9** cm에 가깝기 때문에
약 **9** cm야.

쟁반의 긴 쪽의 길이를 숟가락으로 재면 **3** 번,
포크로 재면 **4** 번이야.

막대 과자의 길이는
1 cm가 8번이니까 **8** cm야.

84쪽
·
85쪽

12일 문장제 연습하기 단위의 길이 비교하기 　　　공부한날　월　일　　　4. 길이 재기

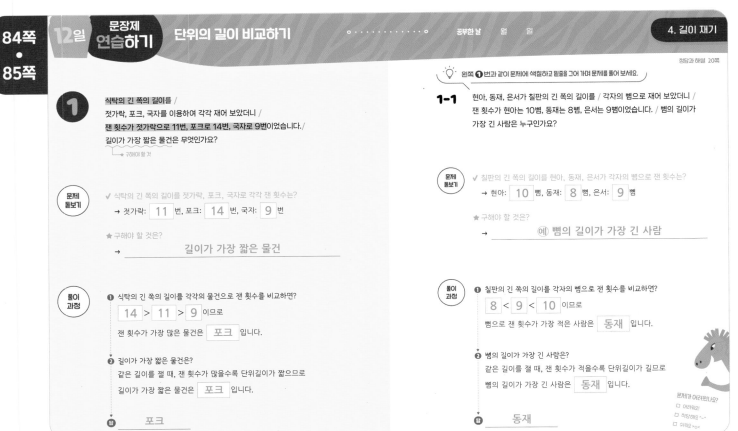

1 식탁의 긴 쪽의 길이를 /
젓가락, 포크, 국자를 이용하여 각각 재어 보았더니 /
잰 횟수가 젓가락으로 11번, 포크로 14번, 국자로 9번이었습니다. /
길이가 가장 짧은 물건은 무엇인가요?
→ 구해야 할 것

문제 돌보기
✓ 식탁의 긴 쪽의 길이를 젓가락, 포크, 국자로 각각 잰 횟수는?
→ 젓가락: **11** 번, 포크: **14** 번, 국자: **9** 번

★ 구해야 할 것은?
→ 　길이가 가장 짧은 물건

풀이 과정
❶ 식탁의 긴 쪽의 길이를 각각의 물건으로 잰 횟수를 비교하면?
14 > **11** > **9** 이므로
잰 횟수가 가장 많은 물건은 **포크** 입니다.

❷ 길이가 가장 짧은 물건은?
같은 길이를 잴 때, 잰 횟수가 많을수록 단위길이가 짧으므로
길이가 가장 짧은 물건은 **포크** 입니다.

답 　포크

💡 왼쪽 ❶번과 같이 문제에 색칠하고 밑줄을 그어 가며 문제를 풀어 보세요.

1-1 현아, 동재, 은서가 칠판의 긴 쪽의 길이를 / 각자의 뼘으로 재어 보았더니 /
잰 횟수가 현아는 10뼘, 동재는 8뼘, 은서는 9뼘이었습니다. / 뼘의 길이가
가장 긴 사람은 누구인가요?

문제 돌보기
✓ 칠판의 긴 쪽의 길이를 현아, 동재, 은서가 각자의 뼘으로 잰 횟수는?
→ 현아: **10** 뼘, 동재: **8** 뼘, 은서: **9** 뼘

★ 구해야 할 것은?
→ 　예 뼘의 길이가 가장 긴 사람

풀이 과정
❶ 칠판의 긴 쪽의 길이를 각자의 뼘으로 잰 횟수를 비교하면?
8 < **9** < **10** 이므로
뼘으로 잰 횟수가 가장 적은 사람은 **동재** 입니다.

❷ 뼘의 길이가 가장 긴 사람은?
같은 길이를 잴 때, 잰 횟수가 적을수록 단위길이가 길므로
뼘의 길이가 가장 긴 사람은 **동재** 입니다.

답 　동재

문제가 어려운가요?
□ 어려워요
□ 적당해요 ^-^
□ 쉬워요 >0<

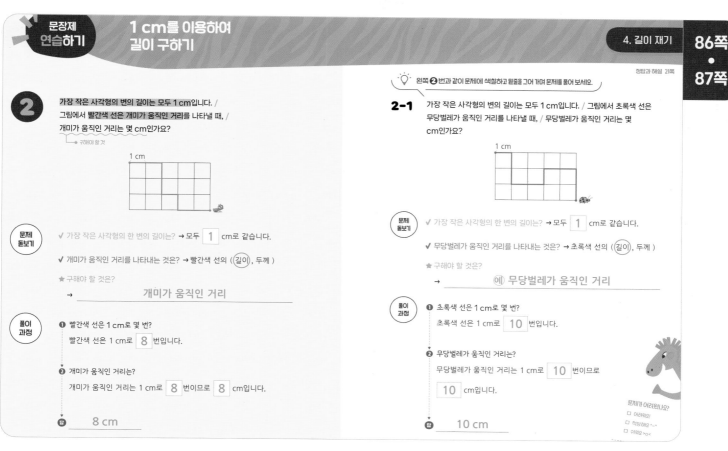

1 cm를 이용하여 길이 구하기

정답과 해설 21쪽

2 가장 작은 사각형의 변의 길이는 모두 1 cm입니다. / 그림에서 빨간색 선은 개미가 움직인 거리를 나타낼 때, / 개미가 움직인 거리는 몇 cm인가요?

└→ 구해야 할 것

1 cm

문제 돋보기

✓ 가장 작은 사각형의 한 변의 길이는? → 모두 1 cm로 같습니다.

✓ 개미가 움직인 거리를 나타내는 것은? → 빨간색 선의 ((길이) , 두께)

★ 구해야 할 것은?

→　　　개미가 움직인 거리

풀이 과정

❶ 빨간색 선은 1 cm로 몇 번?

빨간색 선은 1 cm로 8 번입니다.

❷ 개미가 움직인 거리는?

개미가 움직인 거리는 1 cm로 8 번이므로 8 cm입니다.

답　　8 cm

왼쪽 2 번과 같이 문제에 색칠하고 밑줄을 그어 가며 문제를 풀어 보세요.

2-1 가장 작은 사각형의 변의 길이는 모두 1 cm입니다. / 그림에서 초록색 선은 무당벌레가 움직인 거리를 나타낼 때, / 무당벌레가 움직인 거리는 몇 cm인가요?

1 cm

문제 돋보기

✓ 가장 작은 사각형의 한 변의 길이는? → 모두 1 cm로 같습니다.

✓ 무당벌레가 움직인 거리를 나타내는 것은? → 초록색 선의 ((길이) , 두께)

★ 구해야 할 것은?

→　　　예 무당벌레가 움직인 거리

풀이 과정

❶ 초록색 선은 1 cm로 몇 번?

초록색 선은 1 cm로 10 번입니다.

❷ 무당벌레가 움직인 거리는?

무당벌레가 움직인 거리는 1 cm로 10 번이므로 10 cm입니다.

답　　10 cm

문제가 어려웠나요?
☐ 어려워요ㅠㅠ
☐ 적당해요~~
☐ 쉬워요>o<

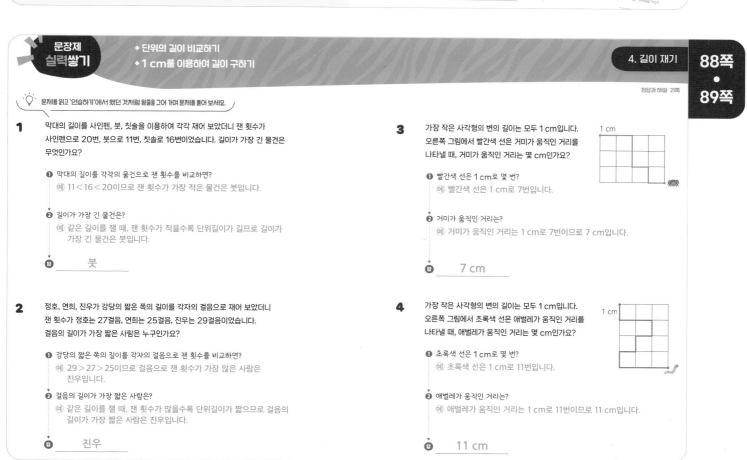

◆ 단위의 길이 비교하기
◆ 1 cm를 이용하여 길이 구하기

정답과 해설 21쪽

문제를 읽고 '연습하기'에서 했던 것처럼 밑줄을 그어 가며 문제를 풀어 보세요.

1 막대의 길이를 사인펜, 붓, 칫솔을 이용하여 각각 재어 보았더니 잰 횟수가 사인펜으로 20번, 붓으로 11번, 칫솔로 16번이었습니다. 길이가 가장 긴 물건은 무엇인가요?

❶ 막대의 길이를 각각의 물건으로 잰 횟수를 비교하면?

예 11 < 16 < 20이므로 잰 횟수가 가장 적은 물건은 붓입니다.

❷ 길이가 가장 긴 물건은?

예 같은 길이를 잴 때, 잰 횟수가 적을수록 단위길이가 길므로 길이가 가장 긴 물건은 붓입니다.

답　　붓

2 정호, 연희, 진우가 강당의 짧은 쪽의 길이를 각자의 걸음으로 재어 보았더니 잰 횟수가 정호는 27걸음, 연희는 25걸음, 진우는 29걸음이었습니다. 걸음의 길이가 가장 짧은 사람은 누구인가요?

❶ 강당의 짧은 쪽의 길이를 각자의 걸음으로 잰 횟수를 비교하면?

예 29 > 27 > 25이므로 걸음으로 잰 횟수가 가장 많은 사람은 진우입니다.

❷ 걸음의 길이가 가장 짧은 사람은?

예 같은 길이를 잴 때, 잰 횟수가 많을수록 단위길이가 짧으므로 걸음의 길이가 가장 짧은 사람은 진우입니다.

답　　진우

3 가장 작은 사각형의 변의 길이는 모두 1 cm입니다. 오른쪽 그림에서 빨간색 선은 거미가 움직인 거리를 나타낼 때, 거미가 움직인 거리는 몇 cm인가요?

1 cm

❶ 빨간색 선은 1 cm로 몇 번?

예 빨간색 선은 1 cm로 7번입니다.

❷ 거미가 움직인 거리는?

예 거미가 움직인 거리는 1 cm로 7번이므로 7 cm입니다.

답　　7 cm

4 가장 작은 사각형의 변의 길이는 모두 1 cm입니다. 오른쪽 그림에서 초록색 선은 애벌레가 움직인 거리를 나타낼 때, 애벌레가 움직인 거리는 몇 cm인가요?

1 cm

❶ 초록색 선은 1 cm로 몇 번?

예 초록색 선은 1 cm로 11번입니다.

❷ 애벌레가 움직인 거리는?

예 애벌레가 움직인 거리는 1 cm로 11번이므로 11 cm입니다.

답　　11 cm

1

색연필의 길이는 /
길이가 4 cm인 지우개로 3번 잰 것과 같습니다. /
이 색연필의 길이는 /
길이가 6 cm인 물감으로 몇 번 잰 것과 같은가요?

┌→ 구해야 할 것

문제돋보기

✓ 색연필의 길이는?

→ 길이가 4 cm인 지우개로 **3** 번 잰 길이

★ 구해야 할 것은?

→ 색연필을 길이가 6 cm인 물감으로 잰 횟수

풀이과정

❶ 색연필의 길이는?

색연필의 길이는 4 cm가 3번이므로

4 + **4** + **4** = **12** (cm)입니다.

❷ 색연필을 길이가 6 cm인 물감으로 잰 횟수는?

6 + **6** = **12** (cm)이므로 색연필의 길이는

길이가 6 cm인 물감으로 **2** 번 잰 것과 같습니다.

답 **2번**

👁 왼쪽 ❶번과 같이 문제에 색칠하고 밑줄을 그어 가며 문제를 풀어 보세요.

1-1

볼펜의 길이는 / 길이가 3 cm인 클립으로 5번 잰 것과 같습니다. /
이 볼펜의 길이는 / 길이가 5 cm인 머리핀으로 몇 번 잰 것과 같은가요?

문제돋보기

✓ 볼펜의 길이는?

→ 길이가 3 cm인 클립으로 **5** 번 잰 길이

★ 구해야 할 것은?

→ 예 볼펜을 길이가 5 cm인 머리핀으로 잰 횟수

풀이과정

❶ 볼펜의 길이는?

볼펜의 길이는 3 cm가 5번이므로

3 + **3** + **3** + **3** + **3** = **15** (cm)입니다.

❷ 볼펜을 길이가 5 cm인 머리핀으로 잰 횟수는?

5 + **5** + **5** = **15** (cm)이므로 볼펜의 길이는

길이가 5 cm인 머리핀으로 **3** 번 잰 것과 같습니다.

답 **3번**

2

길이가 3 cm, 5 cm인 색 막대가 / 각각 한 개씩 있습니다. /
두 색 막대를 이어 붙이거나 겹쳐서 / 잴 수 있는 길이를 모두 구해 보세요.

┌→ 구해야 할 것

3 cm   5 cm

문제돋보기

✓ 두 색 막대의 길이는? → **3** cm, **5** cm

✓ 두 색 막대를 이어 붙이면?

?

→ 두 색 막대의 길이의 ((합), 차)을(를) 구할 수 있습니다.

✓ 두 색 막대를 겹치면?

?

→ 두 색 막대의 길이의 (합 , (차))을(를) 구할 수 있습니다.

★ 구해야 할 것은? 두 색 막대를 이어 붙이거나

→ 겹쳐서 잴 수 있는 길이

풀이과정

❶ 두 색 막대를 이어 붙여서 잴 수 있는 길이는?

3 + **5** = **8** (cm)

❷ 두 색 막대를 겹쳐서 잴 수 있는 길이는?

5 − **3** = **2** (cm)

답 **8 cm**, **2 cm**

👁 왼쪽 ❷번과 같이 문제에 색칠하고 밑줄을 그어 가며 문제를 풀어 보세요.

2-1

길이가 4 cm, 7 cm 색 테이프가 / 각각 한 개씩 있습니다. / 두 색 테이프를
이어 붙이거나 겹쳐서 / 잴 수 있는 길이를 모두 구해 보세요.

4 cm   7 cm

문제돋보기

✓ 두 색 테이프의 길이는? → **4** cm, **7** cm

✓ 두 색 테이프를 이어 붙이면?

?

→ 두 색 테이프의 길이의 ((합), 차)을(를) 구할 수 있습니다.

✓ 두 색 테이프를 겹치면?

?

→ 두 색 테이프의 길이의 (합 , (차))을(를) 구할 수 있습니다.

★ 구해야 할 것은? 예 두 색 테이프를 이어 붙이거나

→ 겹쳐서 잴 수 있는 길이

풀이과정

❶ 두 색 테이프를 이어 붙여서 잴 수 있는 길이는?

4 + **7** = **11** (cm)

❷ 두 색 테이프를 겹쳐서 잴 수 있는 길이는?

7 − **4** = **3** (cm)

답 **11 cm**, **3 cm**

문제를 읽고 '연습하기'에서 했던 것처럼 밑줄을 그어 가며 문제를 풀어 보세요.

1 젓가락의 길이는 길이가 7 cm인 면봉으로 3번 잰 것과 같습니다. 이 젓가락의 길이는 길이가 3 cm인 옷핀으로 몇 번 잰 것과 같은가요?

❶ 젓가락의 길이는?
예 젓가락의 길이는 7 cm가 3번이므로 7+7+7=21(cm)입니다.

❷ 젓가락을 길이가 3 cm인 옷핀으로 잰 횟수는?
예 3+3+3+3+3+3+3=21(cm)이므로 젓가락의 길이는 길이가 3 cm인 옷핀으로 7번 잰 것과 같습니다.

답   7번

2 팔찌의 길이는 길이가 9 cm인 종이띠로 2번 잰 것과 같습니다. 이 팔찌의 길이는 길이가 6 cm인 못으로 몇 번 잰 것과 같은가요?

❶ 팔찌의 길이는?
예 팔찌의 길이는 9 cm가 2번이므로 9+9=18(cm)입니다.

❷ 팔찌를 길이가 6 cm인 못으로 잰 횟수는?
예 6+6+6=18(cm)이므로 팔찌의 길이는 길이가 6 cm인 못으로 3번 잰 것과 같습니다.

답   3번

3 길이가 5 cm, 9 cm인 색 막대가 각각 한 개씩 있습니다. 두 색 막대를 이어 붙이거나 겹쳐서 잴 수 있는 길이를 모두 구해 보세요.

┌─── 5 cm ───┐   ┌───── 9 cm ─────┐

❶ 두 색 막대를 이어 붙여서 잴 수 있는 길이는?
예 두 색 막대를 이어 붙이면 두 색 막대의 길이의 합을 구할 수 있습니다.
⇨ 5+9=14(cm)

❷ 두 색 막대를 겹쳐서 잴 수 있는 길이는?
예 두 색 막대를 겹치면 두 색 막대의 길이의 차를 구할 수 있습니다.
⇨ 9-5=4(cm)

답   14 cm , 4 cm

4 길이가 8 cm, 11 cm인 철사가 각각 한 개씩 있습니다. 두 철사를 이어 붙이거나 겹쳐서 잴 수 있는 길이를 모두 구해 보세요.

❶ 두 철사를 이어 붙여서 잴 수 있는 길이는?
예 두 철사를 이어 붙이면 두 철사의 길이의 합을 구할 수 있습니다.
⇨ 8+11=19(cm)

❷ 두 철사를 겹쳐서 잴 수 있는 길이는?
예 두 철사를 겹치면 두 철사의 길이의 차를 구할 수 있습니다.
⇨ 11-8=3(cm)

답   19 cm , 3 cm

14일 단원 마무리

84쪽 단위의 길이 비교하기

1 전선의 길이를 색연필, 크레파스, 물감을 이용하여 각각 재어 보았더니 잰 횟수가 색연필로 7번, 크레파스로 12번, 물감으로 10번이었습니다. 길이가 가장 긴 물건은 무엇인가요?

풀이 예 전선의 길이를 각각의 물건으로 잰 횟수를 비교하면 7<10<12이므로 잰 횟수가 가장 적은 물건은 색연필입니다. 같은 길이를 잴 때, 잰 횟수가 적을수록 단위길이가 길므로 길이가 가장 긴 물건은 색연필입니다.
답   색연필

84쪽 단위의 길이 비교하기

2 민주, 선혜, 영기가 탁자의 긴 쪽의 길이를 각자의 뼘으로 재어 보았더니 잰 횟수가 민주는 15뼘, 선혜는 13뼘, 영기는 16뼘이었습니다. 뼘의 길이가 가장 짧은 사람은 누구인가요?

풀이 예 탁자의 긴 쪽의 길이를 각자의 뼘으로 잰 횟수를 비교하면 16>15>13이므로 뼘으로 잰 횟수가 가장 많은 사람은 영기입니다. 같은 길이를 잴 때, 잰 횟수가 많을수록 단위길이가 짧으므로 뼘의 길이가 가장 짧은 사람은 영기입니다.
답   영기

86쪽 1 cm를 이용하여 길이 구하기

3 가장 작은 사각형의 변의 길이는 모두 1 cm입니다. 오른쪽 그림에서 빨간색 선은 꽃게가 움직인 거리를 나타낼 때, 꽃게가 움직인 거리는 몇 cm인가요?

풀이 예 빨간색 선은 1 cm로 8번입니다. 꽃게가 움직인 거리는 1 cm로 8번이므로 8 cm입니다.
답   8 cm

86쪽 1 cm를 이용하여 길이 구하기

4 가장 작은 사각형의 변의 길이는 모두 1 cm입니다. 그림에서 초록색 선은 달팽이가 움직인 거리를 나타낼 때, 달팽이가 움직인 거리는 몇 cm인가요?

풀이 예 초록색 선은 1 cm로 11번입니다. 달팽이가 움직인 거리는 1 cm로 11번이므로 11 cm입니다.
답   11 cm

90쪽 단위길이가 달라졌을 때 잰 횟수 구하기

5 색 테이프의 길이는 길이가 8 cm인 분필로 2번 잰 것과 같습니다. 이 색 테이프의 길이는 길이가 4 cm인 바늘로 몇 번 잰 것과 같은가요?

풀이 예 색 테이프의 길이는 8 cm가 2번이므로 8+8=16(cm)이므로 색 테이프의 길이는 길이가 4 cm인 바늘로 4번 잰 것과 같습니다.
답   4번

6 ⟨90쪽⟩ 단위길이가 달라졌을 때 잰 횟수 구하기

끈의 길이는 길이가 5 cm인 건전지로 9번 잰 것과 같습니다.
이 끈의 길이는 길이가 15 cm인 숟가락으로 몇 번 잰 것과 같은가요?

⟨풀이⟩ 예) 끈의 길이는 5 cm가 9번이므로
5+5+5+5+5+5+5+5+5=45(cm)입니다.
15+15+15=45(cm)이므로 끈의 길이는 길이가
15 cm인 숟가락으로 3번 잰 것과 같습니다.

⟨답⟩   3번

7 ⟨90쪽⟩ 단위길이가 달라졌을 때 잰 횟수 구하기

필통의 긴 쪽의 길이는 길이가 1 cm인 공깃돌로 20번 잰 것과 같습니다.
이 필통의 긴 쪽의 길이는 길이가 5 cm인 성냥개비로 몇 번 잰 것과
같은가요?

⟨풀이⟩ 예) 필통의 긴 쪽의 길이는 1 cm가 20번이므로
20 cm입니다.
5+5+5+5=20(cm)이므로 필통의 긴 쪽의 길이는
길이가 5 cm인 성냥개비로 4번 잰 것과 같습니다.

⟨답⟩   4번

8 ⟨92쪽⟩ 막대를 사용하여 잴 수 있는 길이 구하기

길이가 4 cm, 6 cm인 색 막대가 각각 한 개씩 있습니다. 두 색 막대를
이어 붙이거나 겹쳐서 잴 수 있는 길이를 모두 구해 보세요.

| 4 cm | 6 cm |

⟨풀이⟩ 예) 두 색 막대를 이어 붙여서 잴 수 있는 길이는
4+6=10(cm)입니다.
두 색 막대를 겹쳐서 잴 수 있는 길이는
6-4=2(cm)입니다.

⟨답⟩   10 cm , 2 cm

9 ⟨92쪽⟩ 막대를 사용하여 잴 수 있는 길이 구하기

길이가 5 cm인 블록과 길이가 11 cm인 가위가 각각 한 개씩 있습니다.
두 물건을 이어 붙이거나 겹쳐서 잴 수 있는 길이를 모두 구해 보세요.

⟨풀이⟩ 예) 두 물건을 이어 붙여서 잴 수 있는 길이는
5+11=16(cm)입니다.
두 물건을 겹쳐서 잴 수 있는 길이는 11-5=6(cm)입니다.

⟨답⟩   16 cm , 6 cm

10 도전문제 ⟨84쪽⟩ 단위의 길이 비교하기

세호, 은재, 성미가 학교 정문에서 버스 정류장까지의 거리를 각자의
걸음으로 재어 보았더니 잰 횟수가 세호는 25걸음, 은재는 30걸음이고,
성미는 세호보다 4걸음 더 적었습니다. 걸음의 길이가 가장 긴 사람은
누구인가요?

❶ 성미의 걸음으로 잰 횟수는?

예) 성미의 걸음으로 잰 횟수는 세호보다 4걸음 더 적으므로
25-4=21(걸음)입니다.

❷ 학교 정문에서 버스 정류장까지의 거리를 각자 걸음으로 잰 횟수를
비교하면?

예) 21<25<30이므로 걸음으로 잰 횟수가 가장 적은 사람은
성미입니다.

❸ 걸음의 길이가 가장 긴 사람은?

예) 같은 거리를 잴 때, 잰 횟수가 적을수록 단위길이가 길므로
걸음의 길이가 가장 긴 사람은 성미입니다.

⟨답⟩   성미

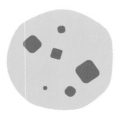

5. 분류하기

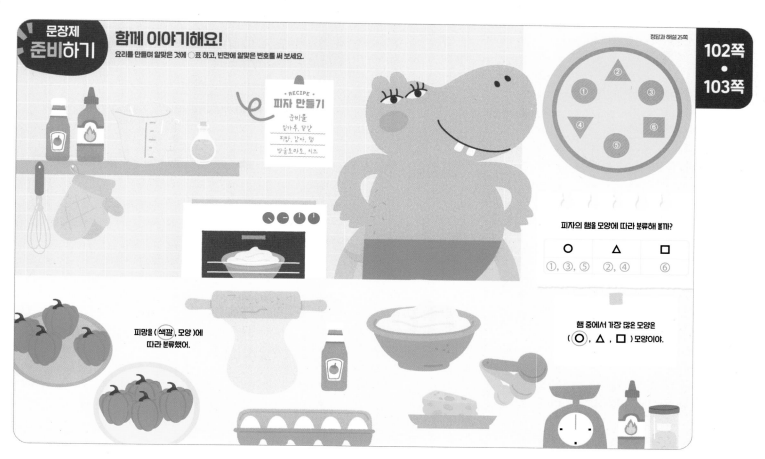

문장제 준비하기

함께 이야기해요!
요리를 만들며 알맞은 것에 ○표 하고, 빈칸에 알맞은 번호를 써 보세요.

RECIPE
피자 만들기
준비물
밀가루, 달걀
피망, 감자, 햄
방울토마토, 치즈

피자의 햄을 모양에 따라 분류해 볼까?

○	△	□
①, ③, ⑤	②, ④	⑥

햄 중에서 가장 많은 모양은
((○) , △ , □) 모양이야.

피망을 (색깔 , 모양)에
따라 분류했어.

정답과 해설 25쪽

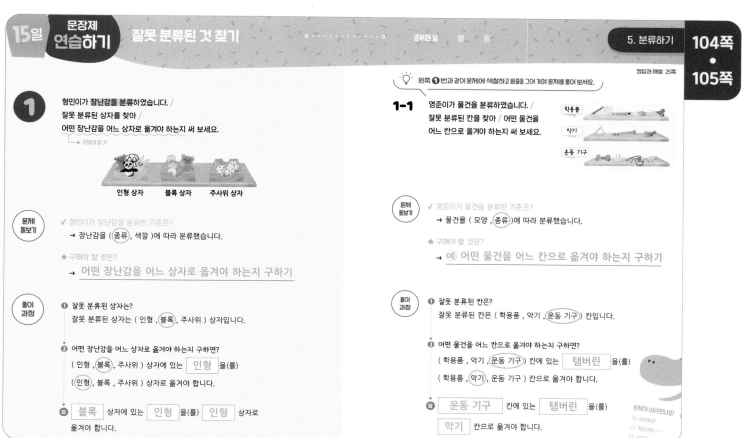

①
형민이가 장난감을 분류하였습니다. /
잘못 분류된 상자를 찾아 /
어떤 장난감을 어느 상자로 옮겨야 하는지 써 보세요.

┌ 구해야 할 것

인형 상자   블록 상자   주사위 상자

문제 돌보기
✔ 형민이가 장난감을 분류한 기준은?
→ 장난감을 (종류 , 색깔)에 따라 분류했습니다.

★ 구해야 할 것은?
→ 어떤 장난감을 어느 상자로 옮겨야 하는지 구하기

풀이 과정
❶ 잘못 분류된 상자는?
잘못 분류된 상자는 (인형 , 블록 , 주사위) 상자입니다.

❷ 어떤 장난감을 어느 상자로 옮겨야 하는지 구하면?
(인형 , 블록 , 주사위) 상자에 있는 　인형　 을(를)
(인형 , 블록 , 주사위) 상자로 옮겨야 합니다.

답 　블록　 상자에 있는 　인형　 을(를) 　인형　 상자로
옮겨야 합니다.

왼쪽 ❶번과 같이 문제에 색칠하고 밑줄을 그어 가며 문제를 풀어 보세요.

1-1
영준이가 물건을 분류하였습니다. /
잘못 분류된 칸을 찾아 / 어떤 물건을
어느 칸으로 옮겨야 하는지 써 보세요.

학용품
악기
운동 기구

문제 돌보기
✔ 영준이가 물건을 분류한 기준은?
→ 물건을 (모양 , 종류)에 따라 분류했습니다.

★ 구해야 할 것은?
→ 예 어떤 물건을 어느 칸으로 옮겨야 하는지 구하기

풀이 과정
❶ 잘못 분류된 칸은?
잘못 분류된 칸은 (학용품 , 악기 , 운동 기구) 칸입니다.

❷ 어떤 물건을 어느 칸으로 옮겨야 하는지 구하면?
(학용품 , 악기 , 운동 기구) 칸에 있는 　탬버린　 을(를)
(학용품 , 악기 , 운동 기구) 칸으로 옮겨야 합니다.

답 　운동 기구　 칸에 있는 　탬버린　 을(를)
　악기　 칸으로 옮겨야 합니다.

문제가 어려운가요?
□ 어려워요
□ 적당해요
□ 쉬워요~

25

2 지훈이네 반 학생들이 좋아하는 분식을 조사하였습니다. / 가장 많은 학생들이 좋아하는 분식과 / 가장 적은 학생들이 좋아하는 분식을 / 차례대로 써 보세요. ← 구해야 할 것

| 떡볶이 | 김밥 | 떡볶이 | 김밥 | 라면 | 떡볶이 | 김밥 | 떡볶이 |

문제 돋보기

✔ 학생들이 좋아하는 분식의 종류는? → 떡볶이, 김밥, 라면

★ 구해야 할 것은?
→ 가장 많은 학생들이 좋아하는 분식과
  가장 적은 학생들이 좋아하는 분식

풀이 과정

❶ 학생들이 좋아하는 분식을 분류하여 세어 보면?

종류	떡볶이	김밥	라면
학생 수(명)	4	3	1

❷ 가장 많은 학생들이 좋아하는 분식과 가장 적은 학생들이 좋아하는 분식은?

가장 많은 학생들이 좋아하는 분식은 떡볶이 이고,

가장 적은 학생들이 좋아하는 분식은 라면 입니다.

답 떡볶이, 라면

💡 왼쪽 ❷번과 같이 문제에 색칠하고 밑줄을 그어 가며 문제를 풀어 보세요.

2-1 일주일 동안 가게에서 팔린 우산입니다. / 가장 많이 팔린 우산과 / 가장 적게 팔린 우산은 각각 무슨 색인지 / 차례대로 써 보세요.

문제 돋보기

✔ 일주일 동안 가게에서 팔린 우산의 색깔은?
→ 빨간색, 노란색, 초록색, 파란색

★ 구해야 할 것은? **예** 가장 많이 팔린 우산과
→ 가장 적게 팔린 우산의 색깔

풀이 과정

❶ 가게에서 팔린 우산을 분류하여 세어 보면?

색깔	빨간색	노란색	초록색	파란색
우산의 수(개)	5	3	6	4

❷ 가장 많이 팔린 우산과 가장 적게 팔린 우산의 색깔은?

가장 많이 팔린 우산은 초록색 이고,

가장 적게 팔린 우산은 노란색 입니다.

답 초록색, 노란색

문제가 어려웠나요?
☐ 어려워요
☐ 적당해요
☐ 쉬워요

108쪽 • 109쪽

문장제 실력쌓기
◆ 잘못 분류된 것 찾기
◆ 분류하여 개수 비교하기

5. 분류하기

정답과 해설 26쪽

💡 문제를 읽고 '연습하기'에서 했던 것처럼 밑줄을 그어 가며 문제를 풀어 보세요.

1 시원이가 음식을 분류하였습니다. 잘못 분류된 칸을 찾아 어떤 음식을 어느 칸으로 옮겨야 하는지 써 보세요.

과일 / 채소 / 음료수

❶ 잘못 분류된 칸은?
예 음식을 종류에 따라 분류한 것이므로 잘못 분류된 칸은 채소 칸입니다.

❷ 어떤 음식을 어느 칸으로 옮겨야 하는지 구하면?
예 채소 칸에 있는 포도 주스를 음료수 칸으로 옮겨야 합니다.

답 **예** 채소 칸에 있는 포도 주스를 음료수 칸으로 옮겨야 합니다.

2 하루 동안 편의점에서 팔린 아이스크림입니다. 가장 많이 팔린 아이스크림과 가장 적게 팔린 아이스크림은 각각 무슨 맛인지 차례대로 써 보세요.

딸기 맛 / 멜론 맛 / 초콜릿 맛 / 바닐라 맛

❶ 편의점에서 팔린 아이스크림을 분류하여 세어 보면?

예	맛	딸기 맛	멜론 맛	초콜릿 맛	바닐라 맛
	아이스크림의 수(개)	1	3	4	2

❷ 가장 많이 팔린 아이스크림과 가장 적게 팔린 아이스크림의 맛은?
예 가장 많이 팔린 아이스크림은 초콜릿 맛이고, 가장 적게 팔린 아이스크림은 딸기 맛입니다.

답 초콜릿 맛, 딸기 맛

3 윤진이가 자석을 분류하였습니다. 잘못 분류된 주머니를 찾아 어떤 자석을 어느 주머니로 옮겨야 하는지 써 보세요.

가 / 나 / 다

❶ 잘못 분류된 주머니는?
예 자석을 색깔에 따라 분류한 것이므로 잘못 분류된 주머니는 다 주머니입니다.

❷ 어떤 자석을 어느 주머니로 옮겨야 하는지 구하면?
예 다 주머니에 있는 ⑦번 자석을 가 주머니로 옮겨야 합니다.

답 **예** 다 주머니에 있는 ⑦번 자석을 가 주머니로 옮겨야 합니다.

4 학교 체육관에 있는 공입니다. 가장 많은 공과 가장 적은 공을 차례대로 써 보세요.

❶ 학교 체육관에 있는 공을 분류하여 세어 보면?

예	종류	축구공	농구공	야구공	배구공
	공의 수(개)	5	3	4	2

❷ 가장 많은 공과 가장 적은 공은?
예 가장 많은 공은 축구공이고, 가장 적은 공은 배구공입니다.

답 축구공, 배구공

정답과 해설 27쪽

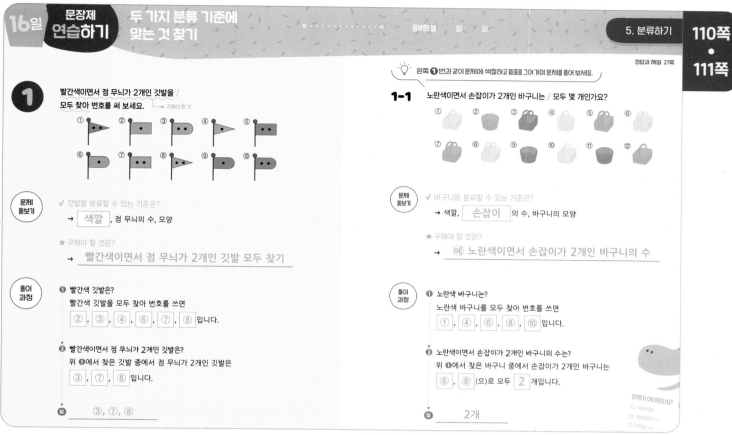

1 빨간색이면서 점 무늬가 2개인 깃발을 / 모두 찾아 번호를 써 보세요. → 구해야 할 것

문제 돋보기

✓ 깃발을 분류할 수 있는 기준은?
→ [색깔], 점 무늬의 수, 모양

★ 구해야 할 것은?
→ 빨간색이면서 점 무늬가 2개인 깃발 모두 찾기

풀이 과정

❶ 빨간색 깃발은?
빨간색 깃발을 모두 찾아 번호를 쓰면
②, ③, ④, ⑥, ⑦, ⑧ 입니다.

❷ 빨간색이면서 점 무늬가 2개인 깃발은?
위 ❶에서 찾은 깃발 중에서 점 무늬가 2개인 깃발은
③, ⑦, ⑧ 입니다.

답 ③, ⑦, ⑧

💡 왼쪽 ❶번과 같이 문제에 색칠하고 밑줄을 그어 가며 문제를 풀어 보세요.

1-1 노란색이면서 손잡이가 2개인 바구니는 / 모두 몇 개인가요?

문제 돋보기

✓ 바구니를 분류할 수 있는 기준은?
→ 색깔, [손잡이]의 수, 바구니의 모양

★ 구해야 할 것은?
→ 예 노란색이면서 손잡이가 2개인 바구니의 수

풀이 과정

❶ 노란색 바구니는?
노란색 바구니를 모두 찾아 번호를 쓰면
①, ④, ⑥, ⑧, ⑩ 입니다.

❷ 노란색이면서 손잡이가 2개인 바구니의 수는?
위 ❶에서 찾은 바구니 중에서 손잡이가 2개인 바구니는
⑥, ⑧ (으)로 모두 2 개입니다.

답 2개

문제가 어려웠나요?
□ 어려워요
□ 적당해요
□ 쉬워요

정답과 해설 27쪽

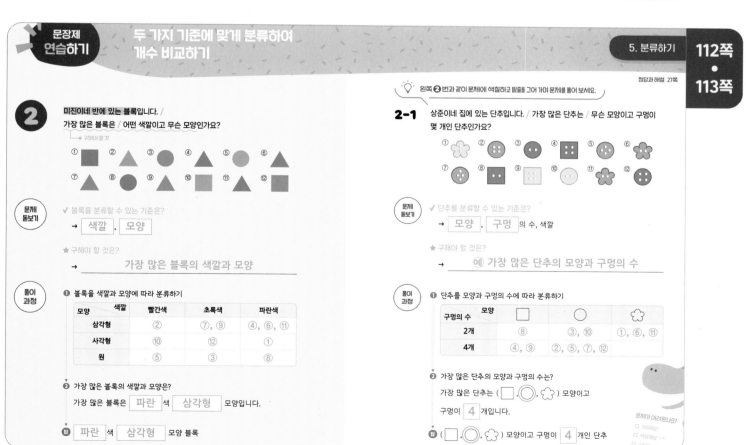

2 미진이네 반에 있는 블록입니다. / 가장 많은 블록은 / 어떤 색깔이고 무슨 모양인가요? → 구해야 할 것

문제 돋보기

✓ 블록을 분류할 수 있는 기준은?
→ [색깔], [모양]

★ 구해야 할 것은?
→ 가장 많은 블록의 색깔과 모양

풀이 과정

❶ 블록을 색깔과 모양에 따라 분류하기

모양＼색깔	빨간색	초록색	파란색
삼각형	②	⑦, ⑨	④, ⑥, ⑪
사각형	⑩	⑫	①
원	⑤	③	⑧

❷ 가장 많은 블록의 색깔과 모양은?
가장 많은 블록은 [파란] 색 [삼각형] 모양입니다.

답 [파란] 색 [삼각형] 모양 블록

💡 왼쪽 ❷번과 같이 문제에 색칠하고 밑줄을 그어 가며 문제를 풀어 보세요.

2-1 상준이네 집에 있는 단추입니다. / 가장 많은 단추는 / 무슨 모양이고 구멍이 몇 개인 단추인가요?

문제 돋보기

✓ 단추를 분류할 수 있는 기준은?
→ [모양], [구멍]의 수, 색깔

★ 구해야 할 것은?
→ 예 가장 많은 단추의 모양과 구멍의 수

풀이 과정

❶ 단추를 모양과 구멍의 수에 따라 분류하기

구멍의 수＼모양	□	○	✿
2개	⑧	③, ⑩	①, ⑥, ⑪
4개	④, ⑨	②, ⑤, ⑦, ⑫	

❷ 가장 많은 단추의 모양과 구멍의 수는?
가장 많은 단추는 (□ , ○ , ✿) 모양이고
구멍이 4 개입니다.

답 (□ , ○ , ✿) 모양이고 구멍이 4 개인 단추

문제가 어려웠나요?
□ 어려워요
□ 적당해요
□ 쉬워요

114쪽 • 115쪽

문장제 실력쌓기

◆ 두 가지 분류 기준에 맞는 것 찾기
◆ 두 가지 기준에 맞게 분류하여 개수 비교하기

5. 분류하기

정답과 해설 28쪽

💡 문제를 읽고 '연습하기'에서 했던 것처럼 밑줄을 그어 가며 문제를 풀어 보세요.

1 파란색이면서 줄무늬가 있는 양말을 모두 찾아 번호를 써 보세요.

❶ 파란색 양말은?
예) 파란색 양말을 모두 찾아 번호를 쓰면 ③, ⑨, ⑩입니다.
❷ 파란색이면서 줄무늬가 있는 양말은?
예) 위 ❶에서 찾은 양말 중에서 줄무늬가 있는 양말은 ③, ⑩입니다.

답 _____③, ⑩_____

2 모자와 안경을 쓴 학생은 몇 명인가요?

세진 은희 영재 하영 은수 진영 혜진 상준 재학

❶ 모자를 쓴 학생은?
예) 모자를 쓴 학생을 찾으면 세진, 하영, 진영, 혜진, 상준입니다.
❷ 모자와 안경을 쓴 학생 수는?
예) 위 ❶에서 찾은 학생 중에서 안경을 쓴 학생은 하영, 진영으로 모두 2명입니다.

답 _____2명_____

3 여러 가지 모양의 가면입니다. 가장 많은 가면은 얼굴 모양과 입 모양이 각각 어떤 모양인가요?

① ② ③ ④ ⑤ ⑥
⑦ ⑧ ⑨ ⑩ ⑪ ⑫

❶ 가면을 얼굴 모양과 입 모양에 따라 분류하기

예)

입 모양 \ 얼굴 모양	◯	⬠	▽
◻	①		③, ⑥, ⑧
△	⑤, ⑨	②, ⑪	⑩
▽	⑫		④, ⑦

❷ 가장 많은 가면의 얼굴 모양과 입 모양은?
예) 가장 많은 가면은 얼굴이 ▽ 모양, 입이 ◻ 모양입니다.

답 얼굴이 (◯ , ⬠ , **▽**) 모양이고
입이 (**◻** , △ , ▽) 모양인 가면

104쪽 잘못 분류된 것 찾기

1 진선이가 재활용품을 분류하였습니다. 잘못 분류된 통을 찾아 어떤 물건을 어느 통으로 옮겨야 하는지 써 보세요.

종이류 통   비닐류 통   캔류 통

풀이) 예) 재활용품을 종류에 따라 분류한 것이므로 잘못 분류된 통은 종이류 통입니다.
따라서 종이류 통에 있는 음료수 캔을 캔류 통으로 옮겨야 합니다.

답 **예) 종이류 통에 있는 음료수 캔을 캔류 통으로 옮겨야 합니다.**

106쪽 분류하여 개수 비교하기

2 예준이네 반 학생들이 좋아하는 과일을 조사하였습니다. 가장 많은 학생들이 좋아하는 과일과 가장 적은 학생들이 좋아하는 과일을 차례로 써 보세요.

사과	딸기	포도	수박	딸기	사과
딸기	수박	딸기	사과	사과	딸기

풀이) 예) 예준이네 반 학생들이 좋아하는 과일을 분류하여 세어 봅니다.

종류	사과	딸기	포도	수박
학생 수(명)	4	5	1	2

따라서 가장 많은 학생들이 좋아하는 과일은 딸기이고, 가장 적은 학생들이 좋아하는 과일은 포도입니다.

답 _딸기_ , _포도_

106쪽 분류하여 개수 비교하기

3 혜민이가 모은 붙임딱지입니다. 가장 많은 붙임딱지와 가장 적은 붙임딱지는 각각 무슨 모양인지 차례대로 써 보세요.

풀이) 예) 혜민이가 모은 붙임딱지를 분류하여 세어 봅니다.

모양	삼각형	사각형	원
붙임딱지의 수(장)	3	5	4

따라서 가장 많은 붙임딱지는 사각형 모양이고, 가장 적은 붙임딱지는 삼각형 모양입니다.

답 _사각형_ , _삼각형_

110쪽 두 가지 분류 기준에 맞는 것 찾기

4 선경이네 반 학생들이 좋아하는 꽃을 조사하였습니다. 노란색 튤립을 좋아하는 학생은 모두 몇 명인가요?

선경	나미	서진	진주	호준	혜주	영준	민회
진우	아라	민규	다솜	태호	연재	윤미	정호

풀이) 예) 노란색 꽃을 좋아하는 학생은 나미, 진주, 영준, 진우, 태호 정호입니다.
이 중에서 튤립을 좋아하는 학생은 나미, 영준, 진우, 태호로 모두 4명입니다.

답 _____4명_____

110쪽 두 가지 분류 기준에 맞는 것 찾기

5 파란색 버스는 모두 몇 대인가요?

풀이 예 파란색 차를 모두 찾아 번호를 쓰면 ②, ⑧, ⑩입니다.
이 중에서 버스는 ②, ⑩으로 모두 2대입니다.

답 ____2대____

112쪽 두 가지 기준에 맞게 분류하여 개수 비교하기

6 문구점에 있는 선물 상자입니다. 가장 많은 선물 상자는 어떤 색깔이고 무슨 모양인가요?

풀이 예 선물 상자를 색깔과 모양에 따라 분류해 봅니다.

모양＼색깔	파란색	빨간색	노란색
⬜	①, ⑨	⑪	⑦, ⑩
▽		④, ⑧, ⑫	③
⬭	⑤	②	⑥

따라서 가장 많은 선물 상자는 빨간색 ▽ 모양입니다.

답 _빨간_ 색 (⬜ , ▽ , ⬭) 모양 선물 상자

104쪽 잘못 분류된 것 찾기

7 지연이가 도미노 카드를 분류하였습니다. 잘못 분류된 카드에 ○표 하고, 몇 번 칸으로 옮겨야 하는지 써 보세요.

풀이 예 도미노 카드를 분류한 기준은 눈의 수의 합입니다.
①번 칸은 눈의 수의 합이 6인 카드, ②번 칸은 눈의 수의 합이 8인 카드, ③번 칸은 눈의 수의 합이 5인 카드입니다.
따라서 잘못 분류된 카드는 ②번 칸의 세 번째 카드이고, 눈의 수의 합이 6이므로 ①번 칸으로 옮겨야 합니다.

답 예 ②번 칸의 세 번째 카드를 ①번 칸으로 옮겨야 합니다.

도전 문제 **8**

110쪽 두 가지 분류 기준에 맞는 것 찾기

은정이가 가지고 있는 수 카드입니다. 십의 자리 숫자가 7인 짝수 중에서 가장 큰 수는 얼마인가요?

| 216 | 37 | 174 | 392 | 578 | 317 | 475 | 72 |

❶ 수 카드의 수 중에서 십의 자리 숫자가 7인 수는?
예 수 카드의 수 중에서 십의 자리 숫자가 7인 수는 174, 578, 475, 72입니다.

❷ 위 ❶에서 구한 수 중에서 짝수인 수는?
예 위 ❶에서 구한 수 중에서 짝수인 수는 174, 578, 72입니다.

❸ 위 ❷에서 구한 수 중에서 가장 큰 수는?
예 578 > 174 > 72이므로 위 ❷에서 구한 수 중에서 가장 큰 수는 578입니다.

답 ____578____

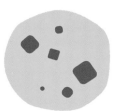

6. 곱셈

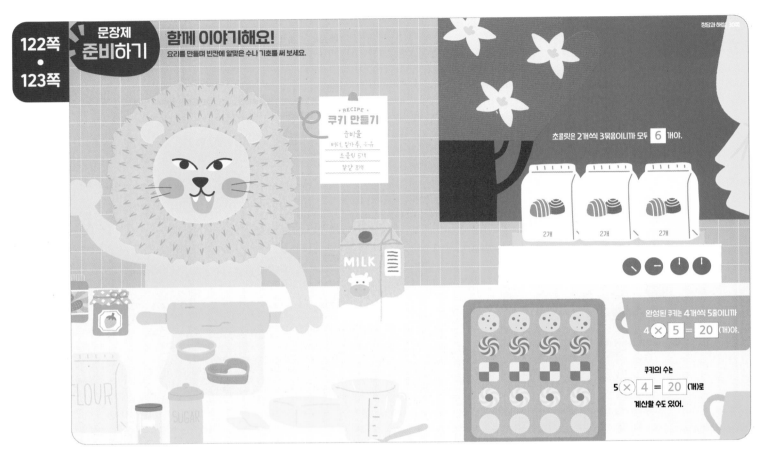

문장제 준비하기

함께 이야기해요!

요리를 만들며 빈칸에 알맞은 수나 기호를 써 보세요.

• RECIPE •
쿠키 만들기
준비물
버터, 밀가루, 우유
초콜릿 5개
달걀 3개

초콜릿은 2개씩 3묶음이니까 모두 **6** 개야.

2개 2개 2개

완성된 쿠키는 4개씩 5줄이니까
4 ⊗ 5 = **20** (개)야.

쿠키의 수는
5 ⊗ 4 = **20** (개)로
계산할 수도 있어.

문장제 연습하기 — 곱셈 결과의 크기 비교하기 ········ 공부한 날 　 월 　 일

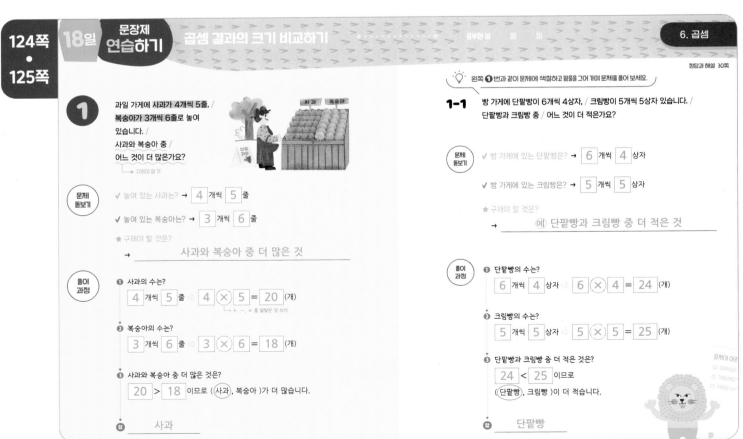

1

과일 가게에 사과가 4개씩 5줄, / 복숭아가 3개씩 6줄로 놓여 있습니다. / 사과와 복숭아 중 / 어느 것이 더 많은가요?
→ 구해야 할 것

문제 돌보기

✔ 놓여 있는 사과는? → **4** 개씩 **5** 줄

✔ 놓여 있는 복숭아는? → **3** 개씩 **6** 줄

★ 구해야 할 것은?
→ ___사과와 복숭아 중 더 많은 것___

풀이 과정

❶ 사과의 수는?
4 개씩 **5** 줄 → 4 ⊗ 5 = **20** (개)
└ +, −, × 중 알맞은 것 쓰기

❷ 복숭아의 수는?
3 개씩 **6** 줄 → 3 ⊗ 6 = **18** (개)

❸ 사과와 복숭아 중 더 많은 것은?
20 > **18** 이므로 ((사과), 복숭아)가 더 많습니다.

답 ___사과___

왼쪽 ❶번과 같이 문제에 색칠하고 밑줄을 그어 가며 문제를 풀어 보세요.
정답과 해설 30쪽

1-1

빵 가게에 단팥빵이 6개씩 4상자, / 크림빵이 5개씩 5상자 있습니다. / 단팥빵과 크림빵 중 / 어느 것이 더 적은가요?

문제 돌보기

✔ 빵 가게에 있는 단팥빵은? → **6** 개씩 **4** 상자

✔ 빵 가게에 있는 크림빵은? → **5** 개씩 **5** 상자

★ 구해야 할 것은?
→ ___(예) 단팥빵과 크림빵 중 더 적은 것___

풀이 과정

❶ 단팥빵의 수는?
6 개씩 **4** 상자 → 6 ⊗ 4 = **24** (개)

❷ 크림빵의 수는?
5 개씩 **5** 상자 → 5 ⊗ 5 = **25** (개)

❸ 단팥빵과 크림빵 중 더 적은 것은?
24 < **25** 이므로
((단팥빵), 크림빵)이 더 적습니다.

답 ___단팥빵___

문장제 연습하기 — 곱셈 결과의 합(차) 구하기

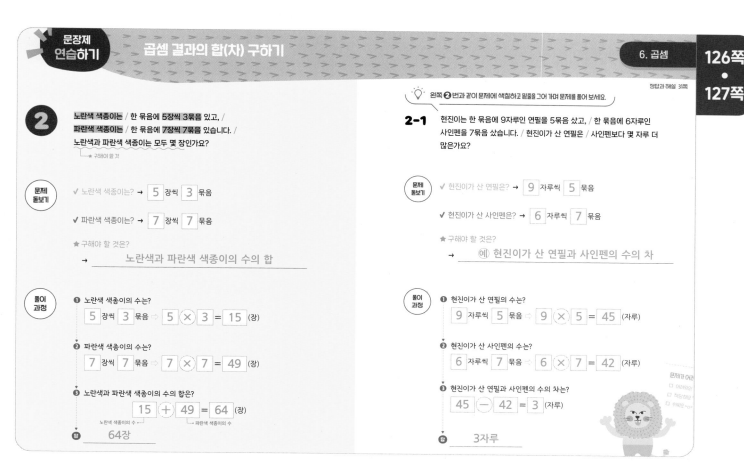

2 노란색 색종이는 / 한 묶음에 5장씩 3묶음 있고, / 파란색 색종이는 / 한 묶음에 7장씩 7묶음 있습니다. / 노란색과 파란색 색종이는 모두 몇 장인가요?

→ 구해야 할 것

문제 돋보기

✓ 노란색 색종이는? → 5 장씩 3 묶음

✓ 파란색 색종이는? → 7 장씩 7 묶음

★ 구해야 할 것은?
→ 노란색과 파란색 색종이의 수의 합

풀이 과정

❶ 노란색 색종이의 수는?
5 장씩 3 묶음 ⇒ 5 × 3 = 15 (장)

❷ 파란색 색종이의 수는?
7 장씩 7 묶음 ⇒ 7 × 7 = 49 (장)

❸ 노란색과 파란색 색종이의 수의 합은?
15 + 49 = 64 (장)
└ 노란색 색종이의 수   └ 파란색 색종이의 수

답 64장

왼쪽 ❷번과 같이 문제에 색칠하고 밑줄을 그어 가며 문제를 풀어 보세요.

2-1 현진이는 한 묶음에 9자루인 연필을 5묶음 샀고, / 한 묶음에 6자루인 사인펜을 7묶음 샀습니다. / 현진이가 산 연필은 / 사인펜보다 몇 자루 더 많은가요?

문제 돋보기

✓ 현진이가 산 연필은? → 9 자루씩 5 묶음

✓ 현진이가 산 사인펜은? → 6 자루씩 7 묶음

★ 구해야 할 것은?
→ 예 현진이가 산 연필과 사인펜의 수의 차

풀이 과정

❶ 현진이가 산 연필의 수는?
9 자루씩 5 묶음 ⇒ 9 × 5 = 45 (자루)

❷ 현진이가 산 사인펜의 수는?
6 자루씩 7 묶음 ⇒ 6 × 7 = 42 (자루)

❸ 현진이가 산 연필과 사인펜의 수의 차는?
45 − 42 = 3 (자루)

답 3자루

문제가 어려
□ 어려워
□ 적당해
□ 쉬워

문장제 실력쌓기
◆ 곱셈 결과의 크기 비교하기
◆ 곱셈 결과의 합(차) 구하기

문제를 읽고 '연습하기'에서 했던 것처럼 밑줄을 그어 가며 문제를 풀어 보세요.

1 학급문고에 동화책이 6권씩 5칸, 과학책이 4권씩 7칸에 꽂혀 있습니다. 동화책과 과학책 중 어느 것이 더 많은가요?

❶ 동화책의 수는?
예 동화책은 6권씩 5칸에 꽂혀 있으므로 6×5=30(권)입니다.

❷ 과학책의 수는?
예 과학책은 4권씩 7칸에 꽂혀 있으므로 4×7=28(권)입니다.

❸ 동화책과 과학책 중 더 많은 것은?
예 30>28이므로 동화책이 더 많습니다.

답 동화책

2 지민이는 한 봉지에 5개씩 들어 있는 젤리를 4봉지 샀고, 한 봉지에 8개씩 들어 있는 사탕을 3봉지 샀습니다. 젤리와 사탕 중 더 적게 산 것은 어느 것인가요?

❶ 젤리의 수는?
예 젤리는 5개씩 4봉지 샀으므로 5×4=20(개)입니다.

❷ 사탕의 수는?
예 사탕은 8개씩 3봉지 샀으므로 8×3=24(개)입니다.

❸ 젤리와 사탕 중 더 적게 산 것은?
예 20<24이므로 더 적게 산 것은 젤리입니다.

답 젤리

3 검은색 우산은 한 통에 3개씩 5통 있고, 분홍색 우산은 한 통에 7개씩 6통 있습니다. 검은색 우산은 분홍색 우산보다 몇 개 더 적은가요?

❶ 검은색 우산의 수는?
예 검은색 우산은 3개씩 5통 있으므로 3×5=15(개)입니다.

❷ 분홍색 우산의 수는?
예 분홍색 우산은 7개씩 6통 있으므로 7×6=42(개)입니다.

❸ 검은색 우산과 분홍색 우산의 수의 차는?
예 42−15=27(개)

답 27개

4 소의 다리는 4개이고, 닭의 다리는 2개입니다. 농장에 소가 8마리 있고, 닭이 4마리 있습니다. 농장에 있는 소와 닭의 다리는 모두 몇 개인가요?

❶ 소 8마리의 다리 수는?
예 소 8마리의 다리는 4×8=32(개)입니다.

❷ 닭 4마리의 다리 수는?
예 닭 4마리의 다리는 2×4=8(개)입니다.

❸ 농장에 있는 소와 닭의 다리 수의 합은?
예 32+8=40(개)

답 40개

정답과 해설 32쪽

1 3장의 수 카드 1 , 4 , 7 중에서 2장을 뽑아 / 한 번씩만 사용하여 **곱셈식**을 만들려고 합니다. / 만들 수 있는 곱셈식 중 / 계산 결과가 가장 클 때의 값을 / 구해 보세요.
└→ 구해야 할 것

문제 돋보기

✓ 수 카드를 이용하여 만들려는 식은?
→ (한 자리 수) × (한 자리 수)

★ 구해야 할 것은?
→ 곱셈식의 계산 결과가 가장 클 때의 값

풀이 과정

❶ 곱셈식의 계산 결과가 가장 크려면?
가장 (**큰** , 작은) 수와 둘째로 (**큰** , 작은) 수를 곱합니다.

❷ 수 카드의 수의 크기를 비교하면?
7 > 4 > 1 이므로
가장 큰 수는 7 이고, 둘째로 큰 수는 4 입니다.

❸ 곱셈식의 계산 결과가 가장 클 때의 값은?
7 × 4 = 28
└가장 큰 수┘ └둘째로 큰 수┘

답 28

💡 왼쪽 ❶번과 같이 문제에 색칠하고 밑줄을 그어 가며 문제를 풀어 보세요.

1-1 4장의 수 카드 6 , 2 , 9 , 7 중에서 2장을 뽑아 / 한 번씩만 사용하여 곱셈식을 만들려고 합니다. / 만들 수 있는 곱셈식 중 / 계산 결과가 가장 작을 때의 값을 / 구해 보세요.

문제 돋보기

✓ 수 카드를 이용하여 만들려는 식은?
→ (한 자리 수) × (한 자리 수)

★ 구해야 할 것은?
→ (예) 곱셈식의 계산 결과가 가장 작을 때의 값

풀이 과정

❶ 곱셈식의 계산 결과가 가장 작으려면?
가장 (큰 , **작은**) 수와 둘째로 (큰 , **작은**) 수를 곱합니다.

❷ 수 카드의 수의 크기를 비교하면?
2 < 6 < 7 < 9 이므로
가장 작은 수는 2 이고, 둘째로 작은 수는 6 입니다.

❸ 곱셈식의 계산 결과가 가장 작을 때의 값은?
2 × 6 = 12

답 12

정답과 해설 32쪽

2 다음과 같이 어떤 수를 넣으면 / ▲배가 되어 나오는 상자가 있습니다. / 이 상자에 3을 넣었더니 6이 나왔습니다. / 4를 넣으면 얼마가 나오는지 구해 보세요.
└→ 구해야 할 것

3 → ▣ ×▲ → 6   4 → ▣ ×▲ → ?

문제 돋보기

✓ 어떤 수의 ▲배를 식으로 나타내면?
→ (어떤 수) × ▲

✓ 상자에 3을 넣었더니 6이 나오는 것을 식으로 나타내면?
→ 3 × ▲ = 6

★ 구해야 할 것은?
→ 상자에 4를 넣으면 나오는 수

풀이 과정

❶ ▲의 값은?
3 × 2 = 6이므로 ▲ = 2 입니다.

❷ 상자에 4를 넣으면 나오는 수는?
4 × 2 = 8

답 8

💡 왼쪽 ❷번과 같이 문제에 색칠하고 밑줄을 그어 가며 문제를 풀어 보세요.

2-1 다음과 같이 어떤 수를 넣으면 / ◆배가 되어 나오는 상자가 있습니다. / 이 상자에 5를 넣었더니 15가 나왔습니다. / 9를 넣으면 얼마가 나오는지 구해 보세요.

5 → ▣ ×◆ → 15   9 → ▣ ×◆ → ?

문제 돋보기

✓ 어떤 수의 ◆배를 식으로 나타내면?
→ (어떤 수) × ◆

✓ 상자에 5를 넣었더니 15가 나오는 것을 식으로 나타내면?
→ 5 × ◆ = 15

★ 구해야 할 것은?
→ (예) 상자에 9를 넣으면 나오는 수

풀이 과정

❶ ◆의 값은?
5 × 3 = 15이므로 ◆ = 3 입니다.

❷ 상자에 9를 넣으면 나오는 수는?
9 × 3 = 27

답 27

문장제 실력쌓기

◆ 수 카드로 계산 결과가 가장 큰(작은) 곱셈식 만들기
◆ 상자에 수를 넣었을 때 나오는 수 구하기

💡 문제를 읽고 '연습하기'에서 했던 것처럼 밑줄을 그어 가며 문제를 풀어 보세요.

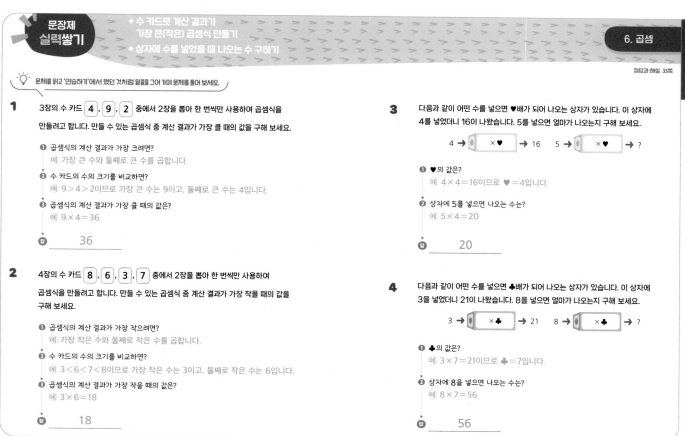

1 3장의 수 카드 4 , 9 , 2 중에서 2장을 뽑아 한 번씩만 사용하여 곱셈식을 만들려고 합니다. 만들 수 있는 곱셈식 중 계산 결과가 가장 클 때의 값을 구해 보세요.

❶ 곱셈식의 계산 결과가 가장 크려면?
  예 가장 큰 수와 둘째로 큰 수를 곱합니다.

❷ 수 카드의 수의 크기를 비교하면?
  예 $9 > 4 > 2$이므로 가장 큰 수는 9이고, 둘째로 큰 수는 4입니다.

❸ 곱셈식의 계산 결과가 가장 클 때의 값은?
  예 $9 \times 4 = 36$

답 ___36___

2 4장의 수 카드 8 , 6 , 3 , 7 중에서 2장을 뽑아 한 번씩만 사용하여 곱셈식을 만들려고 합니다. 만들 수 있는 곱셈식 중 계산 결과가 가장 작을 때의 값을 구해 보세요.

❶ 곱셈식의 계산 결과가 가장 작으려면?
  예 가장 작은 수와 둘째로 작은 수를 곱합니다.

❷ 수 카드의 수의 크기를 비교하면?
  예 $3 < 6 < 7 < 8$이므로 가장 작은 수는 3이고, 둘째로 작은 수는 6입니다.

❸ 곱셈식의 계산 결과가 가장 작을 때의 값은?
  예 $3 \times 6 = 18$

답 ___18___

3 다음과 같이 어떤 수를 넣으면 ♥배가 되어 나오는 상자가 있습니다. 이 상자에 4를 넣었더니 16이 나왔습니다. 5를 넣으면 얼마가 나오는지 구해 보세요.

$4 \rightarrow \boxed{\times ♥} \rightarrow 16$　　$5 \rightarrow \boxed{\times ♥} \rightarrow ?$

❶ ♥의 값은?
  예 $4 \times 4 = 16$이므로 ♥$=4$입니다.

❷ 상자에 5를 넣으면 나오는 수는?
  예 $5 \times 4 = 20$

답 ___20___

4 다음과 같이 어떤 수를 넣으면 ♣배가 되어 나오는 상자가 있습니다. 이 상자에 3을 넣었더니 21이 나왔습니다. 8을 넣으면 얼마가 나오는지 구해 보세요.

$3 \rightarrow \boxed{\times ♣} \rightarrow 21$　　$8 \rightarrow \boxed{\times ♣} \rightarrow ?$

❶ ♣의 값은?
  예 $3 \times 7 = 21$이므로 ♣$=7$입니다.

❷ 상자에 8을 넣으면 나오는 수는?
  예 $8 \times 7 = 56$

답 ___56___

20일 단원 마무리

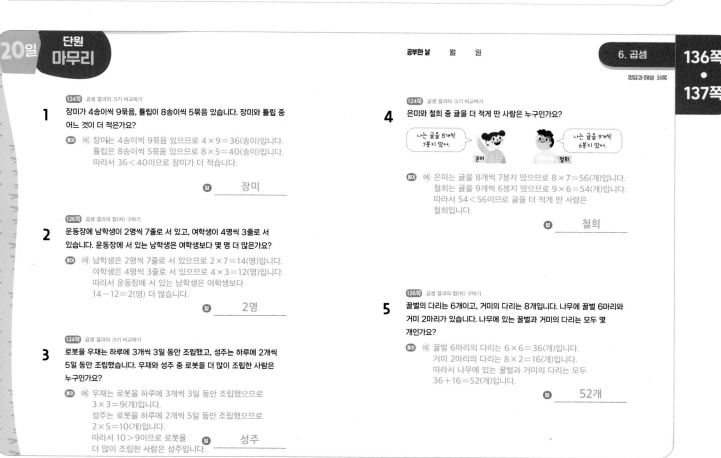

1 124쪽 곱셈 결과의 크기 비교하기

장미가 4송이씩 9묶음, 튤립이 8송이씩 5묶음 있습니다. 장미와 튤립 중 어느 것이 더 적은가요?

풀이 예 장미는 4송이씩 9묶음 있으므로 $4 \times 9 = 36$(송이)입니다.
튤립은 8송이씩 5묶음 있으므로 $8 \times 5 = 40$(송이)입니다.
따라서 $36 < 40$이므로 장미가 더 적습니다.

답 ___장미___

2 126쪽 곱셈 결과의 합(차) 구하기

운동장에 남학생이 2명씩 7줄로 서 있고, 여학생이 4명씩 3줄로 서 있습니다. 운동장에 서 있는 남학생은 여학생보다 몇 명 더 많은가요?

풀이 예 남학생은 2명씩 7줄로 서 있으므로 $2 \times 7 = 14$(명)입니다.
여학생은 4명씩 3줄로 서 있으므로 $4 \times 3 = 12$(명)입니다.
따라서 운동장에 서 있는 남학생은 여학생보다
$14 - 12 = 2$(명) 더 많습니다.

답 ___2명___

3 124쪽 곱셈 결과의 크기 비교하기

로봇을 우재는 하루에 3개씩 3일 동안 조립했고, 성주는 하루에 2개씩 5일 동안 조립했습니다. 우재와 성주 중 로봇을 더 많이 조립한 사람은 누구인가요?

풀이 예 우재는 로봇을 하루에 3개씩 3일 동안 조립했으므로
$3 \times 3 = 9$(개)입니다.
성주는 로봇을 하루에 2개씩 5일 동안 조립했으므로
$2 \times 5 = 10$(개)입니다.
따라서 $10 > 9$이므로 로봇을
더 많이 조립한 사람은 성주입니다.

답 ___성주___

4 124쪽 곱셈 결과의 크기 비교하기

은미와 철희 중 귤을 더 적게 딴 사람은 누구인가요?

나는 귤을 8개씩 7봉지 땄어. 은미

나는 귤을 9개씩 6봉지 땄어. 철희

풀이 예 은미는 귤을 8개씩 7봉지 땄으므로 $8 \times 7 = 56$(개)입니다.
철희는 귤을 9개씩 6봉지 땄으므로 $9 \times 6 = 54$(개)입니다.
따라서 $54 < 56$이므로 귤을 더 적게 딴 사람은
철희입니다.

답 ___철희___

5 126쪽 곱셈 결과의 합(차) 구하기

꿀벌의 다리는 6개이고, 거미의 다리는 8개입니다. 나무에 꿀벌 6마리와 거미 2마리가 있습니다. 나무에 있는 꿀벌과 거미의 다리는 모두 몇 개인가요?

풀이 예 꿀벌 6마리의 다리는 $6 \times 6 = 36$(개)입니다.
거미 2마리의 다리는 $8 \times 2 = 16$(개)입니다.
따라서 나무에 있는 꿀벌과 거미의 다리는 모두
$36 + 16 = 52$(개)입니다.

답 ___52개___

6 130쪽 수 카드로 계산 결과가 가장 큰(작은) 곱셈식 만들기

3장의 수 카드 [1], [6], [8] 중에서 2장을 뽑아 한 번씩만 사용하여 곱셈식을 만들려고 합니다. 만들 수 있는 곱셈식 중 계산 결과가 가장 클 때의 값을 구해 보세요.

풀이 예] 가장 큰 수와 둘째로 큰 수를 곱해야 계산 결과가 가장 큽니다.
수 카드의 수의 크기를 비교하면 8>6>1이므로 가장 큰 수는 8이고, 둘째로 큰 수는 6입니다.
따라서 만들 수 있는 곱셈식 중 계산 결과가 가장 클 때의 값은 8×6=48입니다.

답 __48__

7 126쪽 곱셈 결과의 합(차) 구하기

5명이 가위바위보를 하고 있습니다. 3명은 가위를 냈고, 2명은 보를 냈을 때, 5명이 펼친 손가락은 모두 몇 개인가요?

풀이 예] 가위를 낸 3명이 펼친 손가락은 2×3=6(개)입니다.
보를 낸 2명이 펼친 손가락은 5×2=10(개)입니다.
따라서 5명이 펼친 손가락은 모두 6+10=16(개)입니다.

답 __16개__

8 130쪽 수 카드로 계산 결과가 가장 큰(작은) 곱셈식 만들기

4장의 수 카드 [3], [5], [7], [4] 중에서 2장을 뽑아 한 번씩만 사용하여 곱셈식을 만들려고 합니다. 만들 수 있는 곱셈식 중 계산 결과가 가장 작을 때의 값을 구해 보세요.

풀이 예] 가장 작은 수와 둘째로 작은 수를 곱해야 계산 결과가 가장 작습니다. 수 카드의 수의 크기를 비교하면 3<4<5<7이므로 가장 작은 수는 3이고, 둘째로 작은 수는 4입니다.
따라서 만들 수 있는 곱셈식 중 계산 결과가 가장 작을 때의 값은 3×4=12입니다.

답 __12__

9 132쪽 상자에 수를 넣었을 때 나오는 수 구하기

다음과 같이 어떤 수를 넣으면 ◆배가 되어 나오는 상자가 있습니다.
이 상자에 6을 넣었더니 48이 나왔습니다. 9를 넣으면 얼마가 나오는지 구해 보세요.

6 → [×◆] → 48   9 → [×◆] → ?

풀이 예] 6×8=48이므로 ◆=8입니다.
따라서 상자에 9를 넣으면 나오는 수는 9×8=72입니다.

답 __72__

도전문제 **10** 132쪽 상자에 수를 넣었을 때 나오는 수 구하기

다음과 같이 어떤 수를 넣으면 ♣배가 되어 나오는 상자가 있습니다.
이 상자에 2를 넣었더니 10이 나왔고, ●를 넣었더니 15가 나왔습니다.
●에 알맞은 수를 구해 보세요.

2 → [×♣] → 10   ● → [×♣] → 15

❶ ♣의 값은?
예] 2×5=10이므로 ♣=5입니다.

❷ ●에 알맞은 수는?
예] ●×5=15이므로 3×5=15에서 ●=3입니다.

답 __3__

실력 평가

1 시우는 100원짜리 동전 3개와 10원짜리 동전 7개를 가지고 있었습니다. 어머니께서 시우에게 400원을 주셨다면 지금 시우가 가지고 있는 돈은 모두 얼마인가요?

풀이 예 400원은 100원짜리 동전으로 4개입니다.
100원짜리 동전이 3+4=7(개)이고, 10원짜리 동전이 7개이므로 지금 시우가 가지고 있는 돈은 모두 770원입니다.

답   770원

2 정원에 장미가 37송이 피어 있고, 튤립은 장미보다 12송이 더 많이 피어 있습니다. 정원에 피어 있는 장미와 튤립은 모두 몇 송이인가요?

풀이 예 정원에 피어 있는 튤립은 장미보다 12송이 더 많으므로 37+12=49(송이)입니다.
따라서 정원에 피어 있는 장미와 튤립은 모두 37+49=86(송이)입니다.

답   86송이

3 진영이의 키를 연필, 붓, 칫솔을 이용하여 각각 재어 보았더니 잰 횟수가 연필로 10번, 붓으로 6번, 칫솔로 8번이었습니다. 길이가 가장 짧은 물건은 무엇인가요?

풀이 예 진영이의 키를 각각의 물건으로 잰 횟수를 비교하면 10>8>6이므로 잰 횟수가 가장 많은 물건은 연필입니다.
같은 길이를 잴 때, 잰 횟수가 많을수록 단위길이가 짧으므로 길이가 가장 짧은 물건은 연필입니다.

답   연필

4 삼각형, 사각형을 사용하여 만든 백조 모양입니다. 백조 모양을 만드는 데 더 적게 사용한 도형은 무엇인지 쓰고, 그 도형의 꼭짓점의 수를 구해 보세요.

풀이 예 백조 모양을 만드는 데 삼각형은 5개, 사각형은 2개 사용했습니다.
따라서 더 적게 사용한 도형은 사각형이고 사각형의 꼭짓점의 수는 4개입니다.

답   사각형   ,   4개

5 세 수를 빈칸에 써넣어 계산 결과가 가장 큰 세 수의 계산식을 만들려고 합니다. 계산 결과가 가장 큰 세 수의 계산식을 쓰고 계산해 보세요.

21 72 16   ☐ + ☐ − ☐

풀이 예 계산 결과가 가장 크려면 가장 큰 수인 72와 둘째로 큰 수인 21을 더하고 가장 작은 수인 16을 빼야 합니다.
⇨ 72+21−16=77 (또는 21+72−16=77)

답 72+21−16=77
또는 21+72−16=77

---

6 파란색 별을 모두 찾아 번호를 써 보세요.

풀이 예 파란색 모양을 모두 찾아 번호를 쓰면 ①, ③, ④, ⑥, ⑦, ⑩입니다.
이 중에서 별은 ④, ⑥, ⑩입니다.

답   ④, ⑥, ⑩

7 다현이는 팥 붕어빵을 3개씩 5봉지, 슈크림 붕어빵을 2개씩 6봉지 샀습니다. 팥 붕어빵과 슈크림 붕어빵 중 더 많이 산 것은 어느 것인가요?

풀이 예 팥 붕어빵은 3개씩 5봉지 샀으므로 3×5=15(개)입니다.
슈크림 붕어빵은 2개씩 6봉지 샀으므로 2×6=12(개)입니다.
따라서 15>12이므로 더 많이 산 것은 팥 붕어빵입니다.

답   팥 붕어빵

8 3장의 수 카드 2 , 5 , 9 중에서 2장을 뽑아 한 번씩만 사용하여 곱셈식을 만들려고 합니다. 만들 수 있는 곱셈식 중 계산 결과가 가장 클 때의 값을 구해 보세요.

풀이 예 가장 큰 수와 둘째로 큰 수를 곱해야 계산 결과가 가장 큽니다.
수 카드의 수의 크기를 비교하면 9>5>2이므로 가장 큰 수는 9이고, 둘째로 큰 수는 5입니다.
따라서 만들 수 있는 곱셈식 중 계산 결과가 가장 클 때의 값은 9×5=45입니다.

답   45

9 나에 대한 설명을 읽고 나는 어떤 수인지 구해 보세요.

• 나는 세 자리 수입니다.
• 백의 자리 숫자는 6보다 크고 9보다 작은 짝수입니다.
• 십의 자리 숫자는 50을 나타냅니다.
• 일의 자리 숫자는 백의 자리 숫자와 십의 자리 숫자의 차입니다.

풀이 예 백의 자리 숫자는 8, 십의 자리 숫자는 5입니다.
백의 자리 숫자는 8, 십의 자리 숫자는 5이므로 일의 자리 숫자는 8−5=3입니다.
따라서 나는 853입니다.

답   853

10 수 카드 1 , 7 , 9 중에서 2장을 골라 두 자리 수를 만들어 86에서 빼려고 합니다. 계산 결과가 가장 큰 수가 되는 뺄셈식을 쓰고 계산해 보세요.

풀이 예 86에서 가장 작은 두 자리 수를 빼야 계산 결과가 가장 큰 수가 됩니다.
수 카드의 수의 크기를 비교하면 1<7<9이므로 수 카드로 만들 수 있는 가장 작은 두 자리 수는 17입니다.
따라서 계산 결과가 가장 큰 수가 되는 뺄셈식은 86−17=69입니다.

답   86−17=69

1 백 모형 1개, 십 모형 1개, 일 모형 3개가 있습니다. 수 모형 5개 중에서 3개를 사용하여 나타낼 수 있는 세 자리 수는 모두 몇 개인가요?

풀이 예)

백 모형	십 모형	일 모형		세 자리 수
1개	1개	1개	⇨	111
1개	0개	2개	⇨	102

따라서 나타낼 수 있는 세 자리 수는 111, 102로 모두 2개입니다.

답 ___2개___

2 주머니에 구슬이 들어 있습니다. 형원이가 구슬 7개를 동생에게 주었더니 25개가 남았습니다. 처음 주머니에 들어 있던 구슬은 몇 개인가요?

풀이 예) 처음 주머니에 들어 있던 구슬의 수를 ■개라 하여 식으로 나타내면 ■-7=25입니다.
25+7=■, ■=32이므로 처음 주머니에 들어 있던 구슬은 32개입니다.

답 ___32개___

3 ㉠과 ㉡ 중 쌓기나무를 더 많이 사용한 것은 어느 것인가요?

풀이 예) 쌓기나무를 ㉠은 1층에 4개, 2층에 1개로 모두 4+1=5(개) 사용했고, ㉡은 1층에 3개, 2층에 1개로 모두 3+1=4(개) 사용했습니다.
따라서 5>4이므로 쌓기나무를 더 많이 사용한 것은 ㉠입니다.

답 ___㉠___

4 가장 작은 사각형의 변의 길이는 모두 1 cm입니다. 그림에서 빨간색 선은 토끼가 움직인 거리를 나타낼 때, 토끼가 움직인 거리는 몇 cm인가요?

풀이 예) 빨간색 선은 1 cm로 9번입니다.
토끼가 움직인 거리는 1 cm로 9번이므로 9 cm입니다.

답 ___9 cm___

5 유림이가 학용품을 분류하였습니다. 잘못 분류된 통을 찾아 어떤 학용품을 어느 통으로 옮겨야 하는지 써 보세요.

연필 통   공책 통   지우개 통

풀이 예) 학용품을 종류에 따라 분류한 것이므로 잘못 분류된 통은 지우개 통입니다.
따라서 지우개 통에 있는 연필을 연필 통으로 옮겨야 합니다.

답 예) 지우개 통에 있는 연필을 연필 통으로 옮겨야 합니다.

6 식탁에 참치 김밥이 8개씩 2접시 있고, 돈가스 김밥이 5개씩 4접시 있습니다. 식탁에 있는 김밥은 모두 몇 개인가요?

풀이 예) 참치 김밥은 8개씩 2접시이므로 8×2=16(개)입니다.
돈가스 김밥은 5개씩 4접시이므로 5×4=20(개)입니다.
따라서 식탁에 있는 김밥은 모두 16+20=36(개)입니다.

답 ___36개___

7 어떤 수에 17을 더해야 할 것을 잘못하여 뺐더니 65가 되었습니다. 바르게 계산한 값은 얼마인가요?

풀이 예) 어떤 수를 ■라 하여 잘못 계산한 식을 쓰면 ■-17=65입니다.
65+17=■, ■=82이므로 어떤 수는 82입니다.
따라서 바르게 계산한 값은 82+17=99입니다.

답 ___99___

8 윤진이는 두 자리 수가 적힌 공을 2개 가지고 있습니다. 공에 적힌 두 수의 합은 67이고, 두 수의 차는 11입니다. 윤진이가 가지고 있는 공에 적힌 두 수는 각각 얼마인가요?

풀이 예) 먼저 두 수의 합이 67이 되도록 표를 만듭니다.

첫 번째 수	34	35	36	37	38	39	40	·····
두 번째 수	33	32	31	30	29	28	27	·····
두 수의 차	1	3	5	7	9	11	13	·····

표에서 합이 67이고, 차가 11인 두 수는 각각 39, 28입니다.

답 ___39___ , ___28___

9 길이가 3 cm, 8 cm인 색 막대가 각각 한 개씩 있습니다. 두 색 막대를 이어 붙이거나 겹쳐서 잴 수 있는 길이를 모두 구해 보세요.

3 cm   8 cm

풀이 예) 두 색 막대를 이어 붙여서 잴 수 있는 길이는 3+8=11(cm)입니다.
두 색 막대를 겹쳐서 잴 수 있는 길이는 8-3=5(cm)입니다.

답 ___11 cm___ , ___5 cm___

10 다음과 같이 어떤 수를 넣으면 ♥배가 되어 나오는 상자가 있습니다. 이 상자에 8을 넣었더니 24가 나왔습니다. 7을 넣으면 얼마가 나오는지 구해 보세요.

8 → ×♥ → 24   7 → ×♥ → ?

풀이 예) 8×3=24이므로 ♥=3입니다.
따라서 상자에 7을 넣으면 나오는 수는 7×3=21입니다.

답 ___21___

1 기현이는 320원짜리 지우개를 한 개 사려고 합니다. 지우개 값에 꼭 맞게 100원, 50원, 10원짜리 동전을 적어도 1개씩 포함하여 낼 수 있는 방법은 모두 몇 가지인가요?

풀이 예

	방법1	방법2	방법3	방법4	방법5	방법6
100원	2개	2개	1개	1개	1개	1개
50원	2개	1개	4개	3개	2개	1개
10원	2개	7개	2개	7개	12개	17개

따라서 지우개 값을 낼 수 있는 방법은 모두 6가지입니다.

답   6가지

2 오른쪽 도형에서 찾을 수 있는 크고 작은 사각형은 모두 몇 개인가요?

풀이 예 작은 삼각형 2개짜리: ①+②, ②+③ ⇨ 2개
작은 삼각형 3개짜리: ①+②+③, ②+③+④ ⇨ 2개
작은 삼각형 4개짜리: ①+②+③+④ ⇨ 1개
따라서 크고 작은 사각형은 모두 2+2+1=5(개)입니다.

답   5개

3 줄넘기의 길이는 길이가 20 cm인 신발로 5번 잰 것과 같습니다. 이 줄넘기의 길이는 길이가 10 cm인 연필로 몇 번 잰 것과 같은가요?

풀이 예 줄넘기의 길이는 20 cm가 5번이므로
20+20+20+20+20=100(cm)입니다.
10+10+10+10+10+10+10+10+10+10=100(cm)이므로
줄넘기의 길이는 길이가 10 cm인
연필로 10번 잰 것과 같습니다.

답   10번

4 어느 과일 가게에서 하루 동안 팔린 과일입니다. 가장 많이 팔린 과일과 가장 적게 팔린 과일을 차례대로 써 보세요.

풀이 예 과일 가게에서 하루 동안 팔린 과일을 분류하여 세어 봅니다.

종류	사과	귤	바나나	배
과일의 수(개)	9	4	3	4

가장 많이 팔린 과일은 사과이고 가장 적게 팔린 과일은 바나나입니다.

답   사과   ,   바나나

5 쌓기나무로 다음과 같은 모양을 각각 한 개씩 만들었습니다. 쌓기나무가 10개 있었다면 모양을 만들고 남은 쌓기나무는 몇 개인가요?

ㄱ   ㄴ

풀이 예 ㄱ 모양을 만드는 데 사용한 쌓기나무는 1층에 3개, 2층에 1개이므로 모두 3+1=4(개)입니다.
ㄴ 모양을 만드는 데 사용한 쌓기나무는 1층에 2개, 2층에 1개이므로 모두 2+1=3(개)입니다.
따라서 남은 쌓기나무는
10−4−3=3(개)입니다.

답   3개

---

6 문구점에서 연필을 어제 33자루, 오늘 29자루 팔았고, 볼펜을 어제 21자루, 오늘 45자루 팔았습니다. 연필과 볼펜 중에서 이틀 동안 더 많이 팔린 학용품은 무엇인가요?

풀이 예 이틀 동안 팔린 연필은 33+29=62(자루)입니다.
이틀 동안 팔린 볼펜은 21+45=66(자루)입니다.
66>62이므로 이틀 동안 더 많이 팔린 학용품은 볼펜입니다.

답   볼펜

7 농장에 사과나무가 5그루씩 4줄, 감나무가 4그루씩 6줄로 심어져 있습니다. 사과나무와 감나무 중 더 많은 나무는 무엇인가요?

풀이 예 사과나무는 5그루씩 4줄이므로 5×4=20(그루)입니다.
감나무는 4그루씩 6줄이므로 4×6=24(그루)입니다.
따라서 24>20이므로 감나무가 더 많습니다.

답   감나무

8 네 수 중에서 세 수를 빈칸에 써넣어 계산 결과가 가장 큰 세 수의 계산식을 만들려고 합니다. 계산 결과가 가장 큰 세 수의 계산식을 쓰고 계산해 보세요.

49 81 37 52   □ − □ + □

풀이 예 계산 결과가 가장 크려면 가장 큰 수인 81에서 가장 작은 수인 37을 빼고 둘째로 큰 수인 52를 더해야 합니다.
⇨ 81−37+52=96 (또는 52−37+81=96)

답   81−37+52=96
또는 52−37+81=96

9 어느 공원에 있는 자전거입니다. 가장 많은 자전거는 바퀴가 몇 개인 어떤 색깔인가요?

풀이 예 자전거를 바퀴의 수와 색깔에 따라 분해해 봅니다.

색깔 \ 바퀴 수	2개	3개
빨간색	①	③, ④, ⑧
노란색	②, ⑩	⑤
파란색	⑥, ⑨	⑦

따라서 가장 많은 자전거는 바퀴가 3개인 빨간색 자전거입니다.

답   바퀴가 3 개인 (빨간색 , 노란색 , 파란색) 자전거

10 수 카드 1 , 2 , 5 , 9 를 한 번씩 모두 사용하여 (두 자리 수)+(두 자리 수)를 만들려고 합니다. 합이 가장 큰 덧셈식을 쓰고 계산해 보세요.

풀이 예 두 수의 십의 자리에 각각 가장 큰 수와 둘째로 큰 수를 놓고 나머지 두 수를 일의 자리에 각각 놓아야 합이 가장 커집니다.
수 카드의 수의 크기를 비교하면 9>5>2>1이므로 두 수의 십의 자리에 놓아야 하는 수는 9, 5이고, 일의 자리에 놓아야 하는 수는 2, 1입니다.
따라서 합이 가장 큰 덧셈식은 92+51=143입니다.

답   예 92+51=143

MEMO

함께 파티해요!

단원 마무리에서 오린
동물들을 붙이고
내 모습을 그려 보세요!